Cyfrinachau'r Cwm

Pobol y Cwm 30

Cyfrinachau'r Cwm

Cip y tu ôl i lenni pentref enwocaf Cymru

WILLIAM GWYN (Gol.)

Argraffiad cyntaf: 2004

Cyhoeddwyd gan y Lolfa gyda chaniatâd y BBC

Diolch i Gareth Morgan am y ffotograffau, a diolch hefyd i Lisa Victoria, Hywel Emrys, Gwyn Elfyn, Gillian Elisa, a Ieuan Rhys am gyfrannu lluniau o'u casgliadau personol.

Dylunio: Dafydd Saer a Robat Gruffudd

Rhif Llyfr Rhyngwladol: 0 86243 745 8

Cyhoeddwyd, argraffwyd a rhwymwyd yng Nghymru
gan Y Lolfa Cyf., Talybont, Ceredigion SY24 5AP
e-bost ylolfa@ylolfa.com
gwefan www.ylolfa.com
ffôn (01970) 832 304
ffacs 832 782

cynnwys

RHAGAIR

Ar nos Sadwrn 16 Hydref 2004, roedd *Pobol y Cwm* yn dathlu pen-blwydd arbennig iawn yn 30 oed. Yn ystod y dathliadau pen-blwydd, anrhydeddwyd y gyfres gan y Gymdeithas Deledu Frenhinol wrth iddi gael ei chynnwys yn 'Oriel y Cewri'; ymddangosodd rhai o'r cast a'r criw mewn rhifyn arbennig o *Dechrau Canu, Dechrau Canmol*; a threfnwyd penwythnos o ddathlu yng nghartref ysbrydol Cwmderi yn Sir Gaerfyrddin. Un rhan arall o'r amrywiol ddathliadau pen-blwydd yw'r gyfrol hon sy'n crynhoi atgofion sawl un o'r cast ac ambell un o'r criw sydd wedi gweithio ar y gyfres ar rhyw gyfnod neu'i gilydd yn ystod y deg mlynedd ar hugain diwetha. Diolch o galon i bawb sydd wedi cyfrannu pwt o'u profiad ac ymddiheuriadau lu i'r degau sydd wedi gweithio ar y gyfres ond na gafodd gyfle i gyfrannu y tro hwn.

William Gwyn

Hydref 2004

ATGOFION

Atgofion ac ambell gerdd gan gast a chriw *Pobol y Cwm* ddoe a heddiw

ISLWYN MORRIS

Ar ddechrau 1974 roedd yr argoelion, o safbwynt gwaith, yn edrych yn addawol iawn. Ro'n i wedi dechrau gweithio ar *Enoc Huws* (i BBC Cymru) ar gyfer y teledu ac ar y gorwel roedd *Y Gwrthwynebwyr* a throsiad o un o ddramâu Lorca i HTV, yn ogystal â thaith drama Gymraeg i ysgolion Cymru. Ar ben hynny ges i wahoddiad gan Wilbert Lloyd Roberts i gyfarwyddo drama tair act i Gwmni Theatr Cymru nes 'mla'n yn y flwyddyn. Roeddem ni i fynd fel teulu i Ganada ar ddechrau Gorffennaf am fis – yn bennaf i weld fy nhad, nad oeddwn wedi ei weld am hanner can mlynedd. Roedd blwyddyn '74 i weld yn obeithiol iawn.

Yn fuan iawn ar ôl cyrraedd yn ôl o Ganada ges i gynnig rhan mewn opera sebon gan y BBC – *Pobol y Cwm* – cyfres o dair ar ddeg o benodau yn cael eu recordio a'u darlledu unwaith yr wythnos. Wedi siarad â'r cynhyrchydd, John Hefin, a'r awdur, Gwenlyn Parry, fe 'nes i dderbyn rhan Dai Tushingham gan edrych 'mla'n i ddechrau ymarfer tua canol mis Medi. Ond o fewn dyddiau dyma fi'n derbyn cynnig arall (sôn am aros yn hir am fws a dau yn cyrraedd yr un pryd!) Yn anffodus roedd y dyddiadau yn golygu na fydden i ar gael ar gyfer rhai ymarferion o ail bennod *Pobol y Cwm*. Galwad ar y ffôn i John Hefin i esbonio'r broblem. Eglurodd e bod hi'n bwysig bod neb yn colli ymarferion yn y dyddiau cynnar, gan ei bod hi'n gyfres newydd. Ond wedi trafod ac ystyried, awgrymodd y bydde fe'n barod i fy rhyddhau o'r cytundeb a neud ei ore, heb addo dim byd, i ddod â fi mewn i'r gyfres ar ôl yr ail bennod, ond fel cymeriad arall, wrth gwrs. Roedd hi'n rhy hwyr i newid y sgript ond alle fe ailgastio. Rhoddodd bedair awr ar hugain i fi benderfynu.

Fues i erioed yn un da am wneud penderfyniad cyflym. Ys gwn i a fydde *Pobol y Cwm* yn rhedeg am fwy nag un gyfres? 'Na beth o'dd bod mewn cyfyng-gyngor! Er bod '74 yn troi mas i fod yn flwyddyn lwyddiannus i fi o safbwynt gwaith, mae swydd actor proffesiynol mor ansicr fel bod gas ganddo wrthod unrhyw gynnig o waith. Fe gymres i bob muned o'r pedair awr ar hugain i benderfynu.

Tush a Maggie

Erbyn hyn chi'n gwbod yr ateb!

Wedi bron i bymtheg mlynedd yn y gyfres roedd Dai Tushingham i briodi Maggie Mathias. Fe aeth 'Margaret a David' ar eu mis mêl i Majorca. Ro'n ni'n cyrraedd ar nos Wener ac yn aros am saith noson. Roedd y tywydd yn iawn o safbwynt ffilmio, y gwesty'n ddymunol a'r gwaith yn weddol hawdd.

Yn ystod cinio prynhawn dydd Mercher ges i neges (neu orchymyn oedd e?!) i fynd i ystafell wely Harriet i fynd dros y llinelle. Pan gyrhaeddes i, dyna lle'r oedd Harriet yn twlu ei dillad i mewn i'w chês oedd ar y gwely.

"Beth y'ch chi'n neud, Harriet?" gofynnais i.

"Rwy'n paco i fynd sha thre."

"Ond dim ond dydd Mercher yw hi, prynhawn dydd Gwener 'yn ni'n symud mas," wedes i.

"Wy'n gwbod, ond gall e ddim dod yn ddigon clou i fi."

Doedd Harriet a Majorca ddim yn cytuno o gwbl.

Wfft i shwd fis mêl!

LISABETH MILES

Mae'n anhygoel credu fod deg mlynedd ar hugain wedi rhuthro heibio ers y bennod gynta! Dwi'n meddwl mai cwyn nad oedd y peis wedi cyrraedd oedd un o'm llinella cynta i yn honno. Ond fe fu bron i'm cysylltiad i â'r gyfres ddod i ben o fewn yr ychydig fisoedd cynta.

Ym mis Medi 1974 roedd gen i ŵr, babi a chi. Actor ydi Chris, fy ngŵr, ac yn achlysurol roeddwn i'n gweithio am oddeutu blwyddyn a hanner ar ôl geni Lisa, felly pan oedd Chris i ffwrdd yn gweithio, roedd Lisa a'r ci a fi'n mynd am dro ac yn cerdded milltiroedd pob dydd. Roedd pram fawr hyll ond gref gen i, a Lisa ynghlwm ynddi, a'r ci'n tynnu'r ddwy ohonon ni.

Ar ddechrau'r gyfres gynta roedd Chris oddi cartref. Cytunodd ffrind agos i ni fel teulu i warchod Lisa, ac roedd hi'n hapus iawn gyda fy ffrind a'i phlant. Ond wedi hebrwng Lisa, y dasg wedyn oedd gofalu fod Solly'r ci yn cael mynd 'am dro' bach ac yn 'gwneud ei fusnes' yn reit handi fel 'mod i'n cyrraedd Charles Street cyn 10 o'r gloch. Amser cinio, dyna lle y byddwn yn ymbil ar Solly i frysio pi-pi, fel 'mod i'n cael o leia brechdan o Marks & Spencer gyferbyn â'r stafell ymarfer cyn ailddechrau gweithio, ac yr un fath wedyn cyn casglu Lisa oddi wrth fy ffrind gyda'r nos. Dau fis o hyn, yn ogystal â theimlo'n euog 'mod i'n gadael Lisa, ac roeddwn wedi ymlâdd, a cholli tua stôn o bwysa. Soniais wrth Mary David, cynorthwyydd y cynhyrchydd, 'mod i am ofyn i John Hefin i fy sgwennu allan o'r gyfres. Clywodd Malcolm Williams, oedd yn cynorthwyo ar y cynhyrchiad, f'ymbiliad a chynnig trefnu mabwysiadu – y ci, nid Lisa! Felly, fe aeth Solly i fyw yn hapus iawn gyda Malcolm a'i deulu am y deuddeg mlynedd nesa ac fe arhosais i gyda *Pobol y Cwm* am dros ugain mlynedd.

Pen-blwydd hapus i gyfres sydd wedi rhoi mwyniant i gynulleidfa anferth a gwaith i filoedd o flaen a thu ôl i'r camera.

GILLIAN ELISA

Ifanc o'n i ar y pryd – 21, a dim ond newydd adael y coleg, ac wedi cael fy ngwaith teledu cynta ar *Pobol y Cwm*. Er 'mod i wedi cael fy hyfforddi fel actores theatr glasurol, actores deledu o'n i eisiau bod. O'dd chwaer fy nhad, Anti Margaret, yn gweithio i'r BBC yn y 50au cynnar fel ysgrifenyddes i Mai Jones, oedd yn gyfrifol am raglenni adloniant ysgafn blaengar fel *Welsh Rarebit* a *Tommy Trouble*, a ro'dd hi wedi fy siarsio i egluro wrth Harriet Lewis pwy o'n i, achos ro'dd Harriet yng ngholeg Llandrindod yr un pryd â'm rhieni, John a Nesta, ac yn eu hadnabod nhw pan ddechreuon nhw garu. Wrth i fi gyrraedd ymarferion cynta *Pobol y Cwm* yn Broadway, ger Newport Rd, y peth cynta nes i o'dd chwilio am Miss Lewis, achos dyna beth o'n i'n ei galw hi bryd hynny! I mewn â fi, a dyna ble o'dd hi'n siarad fflat owt yn y gornel – dyna sut un oedd hi; joio siarad. Yn y diwedd llwyddais i gael ei sylw hi.

"Miss Lewis?" medde fi.

"Ie, bach?" atebodd.

"Chi'n nabod Mam a Dad. O'ch chi yn y coleg 'da'ch gilydd. John a Nesta."

Wedi ychydig eiliadau o feddwl atebodd, "W! Wel chi'n perthyn i Margaret Thomas, 'te."

A dyma'r ddwy ohonon ni'n dechrau siarad, a chychwyn ar gyfeillgarwch oedd i bara blynyddoedd. 'Sab' o'n i wastad iddi hi o flaen a thu ôl i'r camera – o'dd hi byth yn fy ngalw i'n 'Gill'! Er nad oedd ganddi blant ei hun, ro'n i'n aml yn teimlo ei bod hi wedi fy mabwysiadu i ac yn edrych ar fy ôl i fel mam.

Maggie Post, Wil Post, a Sabrina

Ro'n i wedi colli Mam pan o'n i'n 16 oed, a dyna un o'r straeon mawr cynta i Sabrina ei chael oedd colli ei mam yn ifanc. Yr unig ffordd i actio hynny yn *Pobol y Cwm* oedd mynd am realaeth – roedd sebon yn y saith degau y peth agosa at y *reality TV* sydd i'w gael heddiw achos roedd y sefyllfaoedd yn real – gwneud i'r gwyliwr deimlo tamed bach yn anghyfforddus (er, roedd rhaid edrych arno – roedd bron yn rhyw fath o *addiction*!). A thrwy'r cwbl, ro'dd Miss Lewis yna i edrych ar fy ôl i. Byddai'n holi beth o'n i wedi bod yn neud dros y penwythnosau ac yn dweud yn *straight* beth oedd hi'n feddwl.

"Chi 'di bod yn y clwb 'na?" fyddai hi'n ei holi.

"Dim ond am un ne' ddou," fyddwn i'n ei ateb gan gadw'r gwir oddi wrthi. Ro'dd nos Wener yn noson fawr i griw *Pobol y Cwm* gyda chriw ifanc fel Dewi Pws, Huw Ceredig, Dafydd Hywel a Meic Povey yn gweithio ar y rhaglen. Ro'dd pawb yn mynd mas i joio i'r dre – Clwb Papagio (sydd yn westy Marriotts erbyn heddiw) a phawb yn gwisgo denim. Denim oedd y peth ar y pryd, wy'n cofio.

Wy'n dal i gofio'r olygfa gynta' nes i yn *Pobol y Cwm* – ro'dd Sab yn mynd i mewn i'r siop i holi am waith. Wrth iddi gyrraedd ro'dd Sab yn cnoi *chewing gum* ac yn cario *stereo* gyda hi.

"Wy 'di dod am y jobyn," o'dd un o leins cynta Sabrina.

"O, y'ch chi nawr. Wel yn gynta, tynna hwnna mas o dy geg a thro'r hyrdi gyrdi 'na off," o'dd ateb Maggie Post. A pherthynas fel 'na o'dd un Sab a Maggie, a fy un i a Miss Lewis hefyd.

Cofio actores newydd yn dechrau ar y gyfres a hithau yn mynd â fi i'r naill ochr.

"Pwy yw hi, 'te?" holodd hi.

"'Wy'm yn gwbod," atebais yn onest.

"Wel cerwch i ffindo mas," o'dd ei gorchymyn.

Ro'n ni hyd yn oed yn siarad gyda'n gilydd fel mam a merch. A 'wy'n cofio pan ddes i'n ôl am ychydig o benodau ar gyfer priodas Maggie a Mr Tushingham – ro'n ni wedi bod yn ffilmio'r briodas trwy'r bore yng nghapel Efail Isaf ac wedi stopio i gael cinio. Yn naturiol, ro'dd Harriet (roeddwn i'n ei chael hi'n anodd i alw hi'n Harriet ond mi wnes i erbyn y cyfnod yna) wedi tynnu ei het i fwyta a phan o'n ni'n barod i fynd yn ôl i ffilmio, dyma hi'n rhoi'r het yn ôl ar ei phen. Daeth y ferch gwisgoedd heibio a dweud wrthi am droi'r het.

"*But it will be back to front then*," meddai hi.

"*I know*," atebodd y ferch, "*but that's how it was in the scenes we've already recorded*."

Trodd Harriet ata i'n *straight* a rhoi *row* i fi.

"Pam na fyddech chi 'di gweud 'tha i?" medde hi'n swta.

"Wel o'n i ddim yn gwbod!" medde fi. "Mae'n edrych 'run peth i fi *back* ne' ffrynt!"

Ond ro'n i a Harriet yn cael lot o sbort gyda'n gilydd hefyd. Yn aml iawn ro'n ni'n dwy'n cael *giggles* ar set wrth wneud golygfeydd, ac rwy'n credu fod hynny'n arwydd fod perthynas dau actor yn gweithio, a'ch bod chi'n ymlacio yng nghwmni'ch gilydd. Wy'n cael yr un teimlad wrth weithio gydag Emyr Wyn, Dafydd Hywel, Ifan Gruffydd a Sue Roderick. Ni'n deall ein gilydd ac mae hynny'n bwysig. Gyda Harriet, hi fel Maggie Post fyddai'n gosod y 'rheolau' mewn golygfa a fi fyddai'n dilyn. Ro'dd Sabrina bryd hynny'n gallu bod

Maggie Post

yn *rebellious* hefyd, wrth gwrs, a byddai hynny hefyd yn cael ei adlewyrchu yn y berthynas rhwng Maggie a Sab. Ac roedd natur y berthynas yna rhyngddo ni wedi llithro i mewn i fywyd go iawn hefyd.

'Wy'n cofio mynd lan i Aberystwyth gyda Harriet unwaith i wneud ychydig o waith hybu i'r Urdd. Gwenlyn Parry oedd yn ein dreifio ni i fyny a hynny mewn fan! Siarades i a Harriet yr holl ffordd, a phan gyrhaeddon ni Aberystwyth, doedd Gwenlyn ddim yn siŵr o'r gwahaniaeth rhwng Gill a Harriet a Sab a Maggie – byddai wedi tyngu mai wedi bod yn gwrando ar y ddwy gymeriad yn siarad o'dd e. A dyna o'dd fy mhroblem i ar y pryd – ro'n i'n methu *switcho off;* bellach 'wy wedi dysgu neud hynny.

Ro'dd Sabrina wedi cael lot fawr o straeon da, reit o'r dechrau, ac ro'dd ei pherthynas hi a Jac Daniels wedi bod yn stori afaelgar. Pan ddechreues i ar *Pobol y Cwm* ro'n i wedi cael lot o sylw, a hynny gan mai Sabrina o'dd y cymeriad ifanca yn y gyfres. Ar y pryd ro'dd *Pobol y Cwm* yn beth mawr, ac mae'r gyfres yn dal i fod yn bwysig heddiw, ac oherwydd yr holl sylw, ro'n i wedi dechrau mynd yn orhyderus – dyna sy'n digwydd pan mae rhywun ifanc ac anaeddfed yn cael gormod o sylw! – ac wedi dechrau cymryd y gwaith yn ganiataol. Penderfynais ei bod hi'n bryd dodi Gillian Elisa yn ei lle ac un ffordd o wneud hynny oedd drwy adael *Pobol y Cwm*. O'n i ddim eisiau bod yn y gyfres trwy gydol fy oes – o'n i ddim yn credu fod hynny'n deg â'r gyfres nac arna' innau; ro'n i eisiau bod mas yna yn llwgu am waith. Ym marn rhai o'n i'n neud yn olreit oherwydd fod gyda fi'r *gift of the gab*, ond y gwir yw, o'n i'n mynd ati i greu cyfleoedd i'n hunan yn hytrach na eistedd yn y tŷ yn disgwyl i'r ffôn ganu. Mae rhywun yn teimlo'n llawer iawn mwy o lwyddiant os yw e wedi gwneud rhywbeth drosto'i hun. A phan mae'r ffôn yn canu ac mae rhywun yn cael cynnig gwaith gan bobl eraill, wel mae hynny'n fonws ac yn fraint.

A dyna sut daeth Sab yn ôl i Gwmderi. Welais i Terry Dyddgen Jones ar y stryd, oedd yn gynhyrchydd *Pobol y Cwm* ar y pryd, a holodd e os o'dd gyda fi ddiddordeb mewn dod yn ôl. A rhywle yng nghefn fy mhen o'n i wastod wedi meddwl mynd yn ôl achos 'wy'n mwynhau chwarae Sab. Does gyda fi ddim syniad beth sy'n mynd i ddigwydd iddi nesa a, mewn ffordd, 'wy ddim eisiau gwybod chwaith – achos dyw rhywun ddim yn gwbod beth sy'n mynd i ddigwydd mewn bywyd go iawn. Yr unig beth 'wy yn wybod yw fy mod i wedi bod yn lwcus o weithio gyda actorion da fel Harriet.

Ac wrth fynd yn ôl daeth atgof arall am weithio gyda Harriet ac am realaeth sefyllfaoedd *Pobol y Cwm*. Y dyddiau cynnar o'dd hi, a Meic Pierce wedi dwyn o'r siop. Ro'dd Philip Madoc wedi cael ei gastio fel yr Inspector o'dd yn ymchwilio i'r lladrad, a'r cwbl o'n i'n ei wbod am Philip Madoc ar y pryd o'dd ei fod e'n siarad saith iaith a'i fod e'n gwisgo cardigan liwgar! A bod yn onest ro'dd gyda fi a Harriet 'bach o'i ofn e. Dyma gyrraedd yr olygfa a daeth yr Inspector i mewn.

"Ble'n union gwatoch chi'r allwedd?" holodd yn ei lais awdurdodol.

Ro'dd Harriet bron yn crio wrth iddi ateb, "Wy'm yn gwbod."

"Mrs Mathias, rhaid i mi ga'l gwbod ble gwatoch chi'r allwedd."

Ro'dd llais Harriet wedi mynd yn grynedig. "Wy'm yn gwbod," atebodd eto, erbyn hyn yn byw y rhan.

"Ife tu ôl i'r bocs Black Magic?"

Ond dyna'i gyd allai Harriet ei ddweud oedd, "Wy'm yn gwbod". Roedd hi wedi mynd i gymaint o stad, gan fod y ddwy ohonon ni'n nerfus o weithio gyda Philip Madoc, fel ei bod hi wedi anghofio ei leins i gyd. Dechreuwyd eto a throdd Harriet ata i cyn cychwyn gan ddweud, "Fydda i'n olreit nawr, bach." Yn y diwedd bu'n rhaid i John Hefin, un o gynhyrchwyr y rhaglen, ddod i sefyll ar ochr y set a rhoi ei leins i Harriet. Yn y diwedd aeth popeth yn iawn ac ar ddiwedd y diwrnod daeth Philip Madoc aton ni ein dwy.

"*It's been lovely working with you both*," meddai.

"*It's been lovely working with you too*," atebodd Harriet.

"Chi'n meddwl 'na?" holais Harriet wrth i Philip Madoc fynd.

A'r cwbl ges i'n ôl o'dd, "Hisht!", a gwenu na'th y ddwy ohonon ni, achos o'dd hi'n lico Philip Madoc, ond dim yr Inspector!

Ro'dd gweithio gyda Harriet yn bleser ac ro'dd hi'n ddidwyll iawn yn ei chefnogaeth a'i hawydd i mi lwyddo. Dechreuad da i fy ngyrfa fel actores. Beth o'n i'n lico ambytu Harriet oedd y ffaith ei bod hi'n real *trooper*. Pan aeth hi i fwrw eira'n galed un tro, yr unig berson droiodd lan yn y BBC i'r ymarfer y bore hwnnw oedd Harriet mewn *milk float*!!! Pawb arall wedi methu dod mewn. Gwplodd hi lan ar y Newyddion!

WILLIAM JONES

Ddeng mlynedd ar hugain union yn ôl, ym mis Hydref 1974, roeddwn i'n cerdded i lawr Broadway – yr un yn y Rhath, Caerdydd, dim New York! Roedd yna hen gapel yno oedd wedi cael ei droi'n ddwy stiwdio deledu – Stiwdio A a Stiwdio B. (Mi fydd y rhai hŷn ohonoch yn cofio rhaglen ddifyr o'r enw *Stiwdio B* lle cafodd yr anfarwol Ifas y Tryc ei eni.)
I mewn â fi i Stiwdio A, gadael y byd go iawn a chamu i fyd ffantasi. Yno roedd tafarn o'r enw'r Deri Arms, caffi, cartre hen bobl – Brynawelon – a thair ystafell fyw rhai o drigolion Cwmderi. Roeddent i gyd wedi eu gwasgu'n dynn oddi mewn i furiau'r hen gapel gyda lle reit gyfyng i'r camerâu a'r offer technegol yn y canol. Anghofia i byth y funud wefreiddiol yna.

Roeddwn i'n 21 oed ac yn dechrau gweithio i'r BBC fel Is-Reolwr Llawr ar gyfres newydd o'r enw *Pobol y Cwm*. Mae teitl y swydd yn swnio'n eitha crand ond mewn gwirionedd yr hyn oeddach chi'n neud hanner yr amser oedd gwneud yn siŵr bod digonedd o de a bisgedi ar gael gydol y dydd i'r cast a'r criw. Roeddech chi'n treulio hanner arall 'ych hamser yn trio cael y cast a'r criw i dalu'r deuswllt yr wythnos am yr ymborth. Gwaith anodd.

Mi rydw i wedi bod yn gweithio ar y gyfres o'r dechra cynta hyd heddiw. Is-Reolwr Llawr, Is-Olygydd Sgriptiau, Cynhyrchydd, Golygydd, Storïwr a Sgriptiwr. Ar y dechrau roeddwn i'r un oed ag aelodau 'fenga'r cast – Sabrina, Meic, Wayne (y Wayne na phyla amser) a Jac. Heddiw mi rydw i'n daid! Ac mae fy mywyd go iawn wedi bod yn rhedeg gyfochrog â bywydau'r cymeriadau yma yn y gyfres. Y gwahaniaeth ydi fod ganddoch chi, fel storïwr, neu olygydd, reolaeth lwyr dros fywydau'r cymeriadau dychmygol – chi sy'n penderfynu pryd a phwy mae nhw'n briodi, chi sy'n deud pryd maen nhw'n cael plant, a chi sy'n deud pryd byddan nhw'n marw. Mae'n biti garw nad oes ganddoch chi'r un fath o reolaeth dros eich bywyd eich hun. Dyna'r gwahaniaeth rhwng chwarae duw a bod yn dduw!

Yn ystod y cyfnod hirfaith yma yr amser mwya cynhyrfus yn bendant oedd 1988 pan benderfynwyd bod y gyfres i fynd allan yn ddyddiol, bum noson yr wythnos. (Un bennod yr wythnos oedd hi cyn hyn.) Yr oedd y tîm cynhyrchu a'r tîm sgriptio ar fin dechrau paratoi y gyfres arferol o 36 pennod y flwyddyn. Cawsom orchymyn oddi fry – oddi wrth y Sanhedrin fel y byddai fy niweddar gydymaith Gwenlyn Parry yn cyfeirio at y penaethiaid – i ddal arni am ychydig. Doedd gan neb syniad o'r bom anferth oedd ar fin ffrwydro. Un bore, fe gafodd y cynhyrchydd, Gwyn Hughes Jones, ei alw gerbron y Sanhedrin a daeth yn ôl i'r swyddfa yn wyn fel y galchen. "Ma' nhw isie i ni fynd mas bum noson yr wythnos, cant wyth deg o benodau y flwyddyn, a chredi di byth mo hyn – ma' nhw moyn i ni fynd mas yn fyw!" Dyma fo'n troi'r radio ymlaen a dyma ni'n dau'n gwrando'n gegrwth ar y Pennaeth Teledu, John Stuart Roberts, yn gwneud cyhoeddiad i'r genedl i'r perwyl hwn.

Roedd Gwyn Hughes a finna o'r farn fod John Stuart a'r Pennaeth Rhaglenni, Teleri Bevan, wedi cymryd cam at y seilam – wedi cael 'ennyd o wallgofrwydd', chwedl Ron Davies. Roedd hwn yn anferth o ddatblygiad ac i fod yn onest, doedd yr un ohonon ni'n dau'n credu y byddai hi'n bosib cyflawni'r ffasiwn dasg. Ond roedd y penderfyniad wedi'i neud, a'n lle ni oedd gwneud i'r syniad weithio. Er mwyn i hyn ddigwydd roedd hi'n bwysig ein bod yn rhoi'r argraff i'r criw a'r cast – heb sôn am y dyrnaid bychan o sgwennwyr oedd ganddon ni ar y pryd – y byddai'r fenter yn llwyddo. Ac er ein bod yn caca brics os nad blociau yn breifat, dyma ni'n bwrw mlaen. Yr oedd cynyddu'r nifer o benodau o 36 i 180 dros nos yn ddigon i ddychryn rhywun, ond dyma ddilyn cyfarwyddyd y ffermwr chwedlonol hwnnw o Fôn a ddywedodd wrth gybiau oedd yn hel cerrig iddo mewn cae – "Dechra wrth dy draed, 'ngwas i." Canolbwyntio felly ar gael y 45 pennod gyntaf o'r sgriptiau'n barod i'r stiwdio. Yna troi allan bum pennod yr wythnos o hynny ymlaen, gan wybod os bydden ni'n methu, y byddai'r stiwdio'n dal i fyny hefo ni ac y byddai'r holl gabwj yn mynd yn ffliwt.

Rywsut neu'i gilydd fe ddaethom i'r lan, fe brofwyd fod penderfyniad y Sanhedrin yn un call, ac fe fu'r gyfres yn llwyddiant. Doedd yna neb wedi gweld dim byd tebyg o'r blaen. Fe fyddai'r *Western Mail* neu'r *Cymro* ar y cowntar yn y siop ddiwrnod ei gyhoeddi ac yn cael ei ddarllen gan un o'r cymeriadau yn y Deri. Ar ddiwrnod y gyllideb mi fyddai 'na drafodaeth am y codiad ym mhris petrol neu gwrw. Doedd 'na'r un gyfres arall yn medru bod mor amserol â hyn achos roedden nhw – ac maen nhw – i gyd yn cael eu rhag-recordio tua mis cyn y darllediad.

Er bod cyhoeddiad John Stuart wedi dweud y byddai'r rhaglen yn fyw bob nos, fe benderfynon ni'n dawel – heb ddweud wrtho – y byddai hyn yn ormod o risg. Byddai'n amhosib osgoi camerâu ac offer sain yn dod i siot ac mi fyddai'r straen ar yr actorion a'r criw yn ormod. Felly cael ei recordio ar y diwrnod yr oedd y rhaglen. Roedd hynny hyd yn oed yn anferth o risg. Ni fethwyd erioed â chael y bennod yn barod, ond cael-a-chael fyddai hi weithiau. Ar un diwrnod, roedd 'na anawsterau difrifol wedi codi – eira mawr yn ei gwneud hi'n anodd i bobl gyrraedd y stiwdio – ac roedd y cynhyrchydd yn dal wrthi'n golygu'r tâp o'r bennod a dim ond rhyw ddau funud i fynd. Pan oedd y cyhoeddwr yn S4C wrthi'n deud, "Ac yn awr, *Pobol y Cwm*," roedd y peiriant tâp wrthi'n chwyrlio'n ôl at ddechrau'r bennod a tharwyd bys ar y botwm *play* gyda rhyw eiliad yn unig yn sbâr.

Rheswm arall heblaw y tywydd dros beidio darlledu cyfres sebon ar y diwrnod mae'n cael ei gwneud yw anhwylder. Fe all rhywun arall lenwi sgidiau aelod o'r criw neu'r tîm cynhyrchu pan fydd salwch, ond wrth reswm, all neb gymryd lle aelod o'r cast. Mae'n rhaid i mi dalu teyrnged yma i'r actorion, sydd wedi ymdrechu i ddod i'r stiwdio at eu gwaith pan ddylent mewn gwirionedd fod adref yn eu gwlâu yn ymgeleddu. Ond weithiau byddai salwch yn eu gorchfygu, a bryd hynny byddai rhaid i'r golygyddion sgript weithio fel lladd nadroedd i ailwampio'r sgriptiau. Fel y byddem ni'n deud – toes yna ddim o'r fath beth â *phroblem* yn bod. Ystyriwch hi'n *her!*

Gan bod amser yn brin iawn pan oeddem yn ymgodymu â'r drefn newydd roedd yna bwysau arbennig o drwm ar y cast. Nhw oedd yn gorfod wynebu'r camerâu. Roedd pawb wedi cael cyfarwyddyd i gario mlaen efo'r *take* beth bynnag fyddai'n digwydd, oni bai bod y rheolwr llawr yn dweud wrthynt am oedi. Ac mi roedd yna lawer o hen sdejars – hoelion wyth oedd wedi bwrw'u prentisiaeth yn y theatr – yn aelodau o'r cast yr adeg hynny. Safai un ohonynt y tu allan i ddrws set yn aros am ei giw. Dyma'r rheolwr llawr yn gweiddi am dawelwch ar gyfer y *take* ac yn rhoi'r ciw iddo fynd i mewn. Roedd 'na gloc mawr ar y wal uwchben y drws ac wrth i'r actor agor y drws dyma'r set yn ysgwyd, a'r cloc yn disgyn ar ei ben a bownsio i ffwrdd. Chwarae teg iddo – trwpar os buodd na un erioed – dyma fo'n dilyn y cyfarwyddyd i gario mlaen a dweud ei linellau cyntaf fel petai dim byd wedi digwydd. Roedd y stiwdio yn naturiol yn glanna chwerthin, a chwerthin wnaeth yntau hefyd y munud y cafodd yr arwydd i stopio.

Mae'r byd teledu wedi gweld newidiadau chwyldroadol ers y dyddiau cynnar hynny yn yr hen gapel yn Broadway 30 mlynedd yn ôl, yn yr hen stiwdio to gwellt (mae sgwennwyr bob amser yn gor-ddweud, tydyn?). Ar ôl i'r BBC symud i'r stiwdio newydd yn Llandâf, fe aeth y capel yn ôl i fod yn fangre addoliad, y tro hwn i'r Mwslemiaid. Tybed oeddan nhw'n ymwybodol fod y llawr yr oeddan nhw'n penlinio'n droednoeth arno wedi bod yn gartref i'r Deri Arms? A tybed be fyddai gan y Parchedig T L Thomas i ddweud am beth ddigwyddodd i Frynawelon? Ar ôl cyfnod fel mosque, fe fu'r stiwdio'n warws garpedi nes iddi fynd ar dân rhyw noson a llosgi'n wenfflam cyn cael ei chwalu.

Ond mae *Pobol y Cwm* yn dal i fynd, a gobeithio bydd

y criw a'r cast fydd yn bwrw 'mlaen â'r gwaith yn y 30 mlynedd nesaf yn cael cymaint o foddhad, o bleser ac o hwyl ag y cefais i. Ac yn bwysicach fyth, gobeithio y cewch chi'r gwylwyr bleser wrth wylio'r gyfres. Wedi'r cwbl – chi sy'n talu'n cyflogau ni!

BETHAN JONES

Haf 1981 ac roeddwn yn sefyll ar Dowlais Top yn siarad gyda merch oedd tua'r un oed a fi ond â bywyd gwahanol iawn. Roeddwn i, Iestyn Garlick a Glyn Pensarn wedi ein castio fel teulu o sipsiwn yn cyrraedd Cwmderi yn eu carafán. Y diwrnod hwnnw, roeddem yn ffilmio ar faes answyddogol sipsiwn go iawn ar ben hen domen lo. Roedd y tir yn wlyb ac yn fwdlyd gyda phlant bach yn rhedeg o amgylch tua wyth o garafanau. Roedd y criw wrthi'n paratoi am y siot, a Glyn, Iestyn a minne yn sgwrsio gyda rhai o'r trigolion o amgylch y tân. Cawsom wybod yr enwau Romani am bob math o bethau; dim ond un sydd wedi aros gyda mi, gwaetha'r modd – *log* am dân. Williams oedd cyfenw y teulu, a dwi'n cofio nad oedd Glyn druan yn rhy siŵr sut i ymateb pan awgrymodd un hen wraig heb ddant yn ei phen, ei fod ef efallai yn berthynas iddynt, gan fod Glyn yr un ffuned a'i brawd yng nghyfraith! Cefais fy ngwahodd i mewn i garafán y ferch ifanc, a oedd, er gwaetha'r llaid y tu allan, yn sgleinio'n fwy na fu fy nhŷ i erioed! Roedd yn fam i dri o blant bach a hithe yn ddeunaw oed – ddwy flynedd yn iau na fi. Pan yn ifanc iawn roedd hi wedi byw am gyfnod mewn tŷ yn yr ardal, ond roedd y teulu wedi teimlo'n gaeth rhwng pedair wal ac wedi dewis mynd yn ôl i'w ffordd draddodiadol o fyw.

Amser cinio roedd criw y BBC i gyd i gael bwyd mewn tafarn leol. Doedd dim amser i newid, felly dyma ni'r teulu Flynn yn cerdded i mewn yn ein gwisgoedd a'n colur. Aeth y lle yn dawel wrth i Glyn, Iestyn a minne eistedd ac edrych ar y fwydlen. Symudodd cwpwl canol oed o'r seddi nesa atom ni, a chlywsom y wraig yn 'sibrwd' mewn llais digon uchel i bawb glywed – *"Look at them dirty jipos, I can't believe it, they're ordering a meal! They'll be goin' 'ome in a taxi next!"* Trodd Iestyn ati a dweud yn ei Saesneg mwyaf crand – *"Excuse me madam, we are actors!"* Roedd y newid yn ei hagwedd yn syfrdanol!

Ugain mlynedd yn ddiweddarach, a finnau bellach yn gynhyrchydd y gyfres, mae llun Nuala Flynn ar ddrws fy swyddfa yn dal i gadw hyn mewn cof. Tybed be ddigwyddodd i'r sipsi go iawn?

MARION FENNER

Yn 1981 y dechreuodd Marion Fenner yn *Pobol y Cwm* wrth i Doreen Probert ddod yn Fetron newydd ar gartre Brynawelon – daeth Doreen i Gwmderi gyda'i gŵr Kevin, a'i mab Barry John – ac er fod Marion bellach wedi gadael y gyfres mae ganddi gysylltiad yn dal i fod gyda Chwmderi

Heledd

gan mai ei merch, yr actores Heledd Owen, sy'n chwarae rhan Rhiannon. Ond nid dyma'r tro cynta i Heledd ymddangos yn *Pobol y Cwm* – yn wir dyma'r drydedd rhan iddi. Hi oedd y Melanie wreiddiol, sef merch hynaf Ieuan a Hazel Griffiths. Ac ar ddechrau'r 90au bu Heledd yn chwarae rhan Bethan – merch ysgol ddeg oed oedd yn aros yn llety gwely a brecwast Denzil ac Eileen gyda'i thad. Yn y stori roedd Eileen yn poeni fod Bethan yn cael ei cham-drin gan ei thad (oedd yn cael ei actio gan John Glyn Owen, tad go iawn Heledd ac un o awduron cyson *Pobol y Cwm*) gan fod y ferch fach i'w chlywed yn crio'n aml ar ôl iddi fynd i'w gwely. Y gwir oedd fod Bethan wedi colli ei mam a fod ei thad wedi mynd â hi ar wyliau er mwyn ceisio codi ei chalon – roedd hi'n dipyn o gamp i ferch mor ifanc chwarae rhan mor drom.

Yn 2002 y daeth Heledd yn ôl i'r gyfres fel ei thrydydd cymeriad, Rhiannon, merch Julie a chwaer Sheryl. A'r tro hwn roedd gan Heledd sialens eto gan fod llawer iawn mwy i Rhiannon na beth oedd hi'n ei ddangos ar y dechrau. Cychwynnodd Heledd ar y rhan hon ar gyfnod anodd iawn i Marion – roedd ei chymar, Brian, yn marw yn yr ysbyty ac roedd yn gysur mawr i Marion ei fod wedi gallu clywed, os nad gweld, perfformiad cynta Heledd fel Rhiannon yn *Pobol y Cwm*.

Wrth gwrs, mae Marion yn mynnu mai dyma'r pedwerydd tro i Heledd fod yn y gyfres go iawn gan fod Doreen yn gweithio ym Mrynawelon pan oedd Marion yn ei disgwyl. Yn wir, roedd un o gyd-actorion Marion ym Mrynawelon wedi cymryd at Heledd, ac ni fyddai Rachel Thomas byth yn gadael i'r un pen-blwydd na Nadolig fynd heibio heb roi anrheg iddi.

Doreen Bevan

Roedd gweithio ar *Pobol y Cwm* yn gallu bod yn lot fawr o sbort a byddai'r gynulleidfa'n aml yn cymryd y cwbl o ddifrif. Pan oedd Doreen ar fin priodi Stan Bevan 'nôl yn 1989 roedd pobl yn holi mam Marion os oedd hi wedi cael gwisg yn barod ar gyfer priodas ei merch!

Un o'r lleoliadau mwyaf swnllyd siŵr o fod yn hanes *Pobol y Cwm* yw'r tu allan i'r Deri Arms. Mae'r *Sportsman's Rest*, y dafarn go iawn lle ffilmir y Deri Arms ar ochr ffordd brysur sy'n cael ei defnyddio fel *short cut* gan nifer o'r Bontfaen i Gaerdydd; i ychwanegu at y sŵn, mae fferm gyferbyn, ac i goroni'r cwbl mae'r brif reilffordd o Abertawe i Lundain yn rhedeg heibio gwaelod yr ardd gwrw a'r maes parcio. Yno roedd Marion yn ffilmio ar ddiwrnod arbennig o swnllyd unwaith gyda phob sŵn posibl yn tarfu ar y gwaith. O'r diwedd roedd y dyn sain yn hapus fod pob trên a char yn ddigon pell. Aethpwyd ati ar unwaith i geisio recordio'r olygfa unwaith eto. Roedd pawb

Criw Angorfa – Bella, Metron, Tush, Mrs Owen a TL Thomas

ar binnau ac wrth i Marion agor ei cheg gyda'i llinell gynta, dyma sŵn buwch yn brefu dros y lle a phawb yn dechrau chwerthin yn afreolus.

A chwerthin yn afreolus wnaeth Marion ac Islwyn Morris ar set unwaith hefyd. Roeddan nhw wrthi'n ffilmio golygfa gyda Harriet Lewis pan oedd Maggie Post yn wael. Gan fod Doreen yn gymeriad mor gymwynasgar, roedd hi wedi dod â darn o bysgodyn draw i'r siop i wneud swper ysgafn i Maggie. Ond wrth i Doreen dynnu'r pysgod o'i bag ni allai Marion ac Islwyn wneud dim ond chwerthin gan fod y pysgod yn drewi cymaint!

Ond er gwaethaf yr holl chwerthin, roedd hi'n fraint cael gweithio gydag actorion profiadol fel Islwyn a Rachel a nifer fawr o rai eraill oedd ym Mrynawelon.

Yn ôl Marion, oes aur *Pobol y Cwm* oedd y cyfnod pan ddechreuodd y rhaglen gael ei darlledu'n nosweithiol o dan arweiniad Gwyn Hughes Jones. Roedd cyffro o amgylch y set bryd hynny gyda phawb yn gwybod fod yn rhaid i'r rhaglen fod ar yr awyr mewn pryd. Roedd hi'n arferiad yn y dyddiau hynny i sôn am beth oedd yn digwydd yn y newyddion ym mhob pennod. Fel arfer fe fyddai'r golygydd sgriptiau yn ysgrifennu pwt amserol yn y bore i fynd i mewn i bennod y noson. Un flwyddyn penderfynwyd fod golygfa'n ymateb i'r gyllideb yn mynd i fod yn y bennod. Wrth gwrs, nid oedd cynnwys y gyllideb yn cael ei gyhoeddi tan ddiwedd y prynhawn yn y Senedd a gofynnwyd i Marion a Philip Hughes aros ar ôl i recordio un olygfa'n trafod effaith y gyllideb ar eu cymeriadau. Roedd yr olygfa'n cael ei hysgrifennu wrth i'r canghellor gyhoeddi ei bolisïau. Ychydig iawn o amser oedd gan Marion a Phil felly i ddysgu'r llinellau cyn cael eu galw i mewn i'r stiwdio i recordio'r olygfa. Roedd yr awyrgylch yn anhygoel, gyda'r cyffro o wneud golygfa mor hwyr yn gymysg â phoeni a fyddai pethau'n mynd yn iawn, ac y byddai'r olygfa yn cyrraedd y sgrin mewn pryd. Yn amlwg roedd yr arbrawf yn llwyddiant, gyda phennod gyflawn yn cael ei darlledu'r noson honno – doedd y gwylwyr ddim callach am y cyffro na'r poeni, a dyna oedd cyfrinach *Pobol y Cwm* bryd hynny.

IEUAN RHYS

Credwch neu beidio ond ar un adeg – ar wahân i blant Megan a Reg a'r babi, Robert Dilwyn – fi oedd aelod ifanca cast *Pobol y Cwm* ym 1983. Ro'n i'n 21 mlwydd oed. Ymddangosodd PC James am y tro cynta ym mis Medi 1983. Plismon oedd yn eiddgar i gadw trefn a bwcio pwy bynnag – gan gynnwys Harri Parri (Charles Williams) a Jacob Elis (Dilwyn Owen). Doedd fawr o Gymraeg yn perthyn i'r plismon newydd felly roedd yn rhaid i Sarjant Jenkins (Ernest Evans) gael gair tawel gyda'r cyw plismon a'i annog i siarad iaith y nefoedd.

O hynny mlaen, ac am dair blynedd ar ddeg, fe welodd Glyn James – a ddyrchafwyd yn Sarjant wedi i Jenkins ymddeol – nifer fawr o ddigwyddiadau, ac i ddweud y gwir digwyddodd llawer iawn iddo fe ei hun. Cwrso ar ôl yr athrawes Beth Leyshon (Eirlys Britton) a'i cholli unwaith i'r anfarwol J W Bowen (Dafydd Aeron). Bu farw JW mewn damwain car pan oedd ar y ffordd i enedigaeth ei ferch Gwenllian (Heledd Jarman/Megan Evans). Arhosodd Glyn am ychydig wythnosau ac yna aeth ar ôl Beth unwaith eto. Cafodd ffling gyda'r gweinidog, y Parch Eleri Evans (Hazel Wyn Williams), ac yna priododd Beth. Er, wedi ychydig, dechreuodd Beth gyboli gyda'i chyd-athro, Hywel Llywelyn (Andrew

Sarjant James, Rod a Glan

Teilo). Daeth y cyfan i ben pan benderfynodd Beth ddweud y cwbl wrth Glyn – ond cyn iddi gael cyfle, datgelodd y Sarj ei fod e yn cael *affair* gyda phlismones yng Nghaerfyrddin a'i fod yn gadael Beth a Gwenllian! Dioddefodd drawiad ar ei galon tra'n cwrso lladron oedd yn dwyn plwm oddi ar do'r capel, ac roedd yn diodde *blackouts* a newid personoliaeth ar ôl cael cnoc ar ei ben gan Fferet (Alun ap Brinley) wrth iddo drio'i rwystro rhag lladd moch daear. Pan ffrwydrodd bom yng Nghlwb Golff Bryn Awelon, Glyn James oedd un o'r ychydig drigolion nad oedd yn y parti agoriadol. Roedd yn lygaid dyst i'r ffrwydrad wrth iddo gyrraedd y clwb eiliadau cyn i'r lle chwythu yn ddarnau bach. Wrth gwrs, roedd marwolaeth ei ffrind Glan (Cadfan Roberts) wedi effeithio llawer arno. Wedi'r angladd, a Jean McGurk (Iola Gregory) yn cael ei stopio am yfed a gyrru, fe driodd Glyn amharu â'r dystiolaeth er mwyn ei chael yn ddieuog. Hwn oedd y diwedd i Glyn. Cafodd ei ddal ac o ganlyniad ei daflu allan o'r heddlu. Bellach mae Glyn yn gweithio fel *security guard* yng Nghasgwent.

Sarjant James a El Bandito

Roedd cael ymuno â chast mor anhygoel ym 1983 yn wefreiddiol. Eistedd yn yr ystafell werdd yn y lle ymarfer yn Charles Street, Caerdydd a chofio bo fi ffaelu siarad... dim ond syllu ar yr actorion/cymeriadau ro'n i wedi eu gwylio ers 1974. Harriet Lewis, Rachel Thomas, Iona Banks, Charles Williams, Marged Esli, Gari Williams...

Roedd yna ddwy ystafell werdd – un i'r rabscaliwns i yfed coffi, smocio a chwarae cardiau, a'r llall yn fwy sidêt o lawer. Yn yr un sidêt roedd Rachel Thomas, Harriet Lewis, Dilwyn Owen a chriw Brynawelon yn eistedd. Cofio Dewi Pws unwaith yn edrych mewn i'r stafell werdd sidêt, eu gweld nhw i gyd yn eistedd fan 'na yn siarad, ac fe waeddodd "*Ok, you can turn the gas on now!*" a chau'r drws yn glou ar ei ôl!

Daeth y bobol hyn dros y blynyddoedd yn ffrindiau da – Hywel Emrys (Derek) oedd fy ngwas priodas! Gwyn Elfyn (Denzil), ffrind da a'm hysbrydoliaeth dietegol! Ac mi wnaeth Gillian Elisa (Sabrina) – amser maith cyn dyddie *Siôn a Siân* – fy nghymryd i o dan ei hadain pan ymunes i â'r cast, a fy nghyflwyno wedi diwrnod o ffilmio caled i nifer fawr o dafarndai Caerdydd, gan orffen gyda phryd o fwyd yn Champers. Whare teg iddi.

Wrth fy modd yn gweithio gydag Eirlys Britton (Beth 'O Glyn – alla i ddim' Leyshon), a chofio cael hwyl 'da hi ar ymweliad â Chaerfyrddin yn ystod ei *affair* gyda Hywel Llywelyn. Un boi yn amlwg wedi gwylltio gyda hi ac yn dechrau dweud y drefn – ddim yn sylweddoli taw stori a chyfres deledu oedd hi! Cofio mynd am *'The cup that cheereth'* bob prynhawn gyda Marged Esli (Nansi Furlong) – jyst paned mewn caffi ar ddiwedd y dydd i ddadweindio cyn mynd adre. Mynd ar *mystery trips* gyda Huw Ceredig – neu *misery trips* fel 'se Pws yn eu galw nhw! Partïon di-ri yng nghartref Aled Rhys Jones (Neville) lawr yn Sully i'r holl gast a chael cystadleuaeth snwcer yna. 'Na i fyth anghofio Huw Ceredig a'r dramodydd Ed Thomas (Dr Gareth) yn cael gêm am £5. Fi oedd y reff. Ceredig yn troi ei gefn am eiliad, ac Ed yn symud y bêl wen i wneud pethe'n haws iddo fe'i hunan. Ed enillodd y bum bunt a doedd Huw ddim yn gwybod dim – tan nawr!

Do'n i ddim wedi sylweddoli pa mor fawr oedd *Pobol y Cwm*. Job o waith oedd e i fi. Iawn, yn ôl y ffigyrau gwylio a'r ymateb ar y stryd, ro'n i'n gwbod ei fod yn boblogaidd ond y diwrnod arbennig yma oedd y diwrnod sylweddoles i bod *Pobol* yn fawr. Yn y stori roedd Sarjant James wedi symud i weithio i Gaerfyrddin fel Ditectif Sarjant. Doedd e ddim yn hapus iawn gan taw bobi pentre oedd e, a bobi pentre o'dd e am fod. Ta beth, ro'n i tu fas i'n nhŷ yng Nghaerdydd yn llwytho'r car. Daeth Mercedes mawr heibio a stopio wrth fy ymyl. Agorodd y ffenest a daeth y pen 'ma mas. Wyneb cyfarwydd iawn – y chwaraewr rygbi anhygoel Gareth Edwards. Do'n i ddim yn nabod Gareth na fe fi chwaith. Edrychodd e arna i gan ddweud "Hei, paid becso 'chan, smo pethe cynddrwg â 'ny yng Nghaerfyrddin" – a gyrrodd i ffwrdd. Sefes i'n stond am eiliad cyn rhedeg mewn i'r tŷ a gweiddi ar fy ngwraig, "Ma' Gareth Edwards newydd siarad â FI!"

Wedi deall, roedd Gareth yn wyliwr cyson o'r gyfres.

Yn ystod fy nghyfnod ar *Pobol y Cwm* ges i'r fraint o weithio ar y ffilm *The Englishman Went Up A Hill But Came Down A Mountain* gyda Hugh Grant. Roedd y ffilmio tu fewn i gyd yn Stiwdios Pinewood ger Llundain a'r golygfeydd allanol yn y pentre hyfryd, Llanrhaeadr ym Mochnant, gogledd Powys. Yn naturiol roedd yna gynnwrf yn y pentre pan landiodd y criw ffilmio yn eu pentre am chwech wythnos a mwy.

Roedd nifer fawr o bobol – degau os nad cannoedd – yn troi lan bob dydd i wylio'r ffilmio. Er bod *Four Weddings And A Funeral* newydd orffen ei *run* yn y sinemâu, do'dd dim llawer o'r pentrefwyr wedi clywed am Hugh Grant, ond wrth gwrs roedden nhw i gyd yn gyfarwydd â *Pobol y Cwm* a Sarjant James! Deuai pobl yn aml i dynnu fy llun tra'n ffilmio. Ces i gymaint o sylw fel i'r newyddiadurwraig a'r ddarlledwraig Mavis Nicholson, oedd yn byw yn y pentre, ofyn i fi ymddangos ar ei rhaglen radio ar BBC Radio 2 ac fe ysgrifennodd amdana i yn y papur lleol.

Roedd yr holl sylw hyn wedi bod yn mynd ymlaen am sbel ac yna, un diwrnod, wrth ffilmio ar ben y mynydd, dyma Hugh yn troi ata i a gofyn am gael gair. Aethon ni i'r portacabin ger y babell fwyd ac eistedd ger y tân Calor Gas yn y gornel.

Beth o'n i 'di neud? Ypsetio seren y ffilm? Do'dd dim syniad 'da fi. Ond roedd yn amlwg bo Hugh wedi gweld y sylw o'n i'n ei gael. A dyma fe'n gofyn:

"Listen, how do I get into this *Pobol y Cwm*?"

Ddechreues i 'ngyrfa fel ecstra, ne *supporting artist*, i roi'r teitl cywir. Hebddyn nhw bydde golygfeydd y Deri Arms, y caffi neu'r stryd yn edrych yn hollol wag ac yn afreal. Ond weithiau gall ecstras 'ddwyn yr olygfa' fel petai.

Ro'n i a Cadfan Roberts, fel y Sarj a Glan, wrthi'n siarad wrth far y Deri gyda Glan yn amau bod Beth, gwraig y Sarj, a Hywel Llywelyn yn cael affair. Deialog eitha pwysig felly. Roedd y cyfarwyddwr wedi gosod dau hen foi ar ben y bar i siarad yn y cefndir. Wedi i'r rheolwr llawr weiddi 'action!' dechreuodd Cadfan a fi ar ein deialog dim ond i glywed un ecstra yn dweud wrth y llall,
"See him there, he's a bobby."

"Bobby?" atebodd y llall.

"Yes, Bobby Charlton!!!"

Na'th hyn i fi chwerthin. Stopio recordio. Fi'n cael gair gyda'r rheolwr llawr i ddeud bod yr ecstras yn siarad braidd yn uchel. Felly dyma'r rheolwr llawr yn dweud wrthyn nhw, *"Could you please speak in a whisper?"*

Bant a ni am yr ail waith. Action. Deialog Cadfan a fi'n dechrau. 'Na i gyd o'n i'n gallu glywed tro 'ma oedd un o'r ecstras yn dweud yn ddigon uchel,

"Speak in a whisper … Speak in a whisper!"

Yr un ecstra aeth ar drip gyda chriw Angorfa i Barc Gwledig Pensgynor. Cyn i'r ddeialog ddechre dyma'r Cyfarwyddwr yn gofyn i'r ecstra os galle fe ofyn i Ken Coslett (Phyl Harries) os geith e fynd i'r tŷ bach.

"Can you do that in Welsh?" gofynnodd y Cyfarwyddwr.

"Yes, no problem," oedd ateb yr ecstra.

Bant â nhw felly i recordio'r olygfa. Y Cyfarwyddwr yn galw *action* a'r ecstra'n cerdded draw at Phyl a gofyn yn ei Gymraeg gore: "Ble mae pisho?"

Dwi'n un ofnadwy am giglo. Cofio Eirlys Britton a fi'n ymarfer yn Charles Street unwaith. Ron Owen yn cyfarwyddo. Beth a Glyn yn y fflat yn cwmpo mas am rhywbeth neu'i gilydd. Wel, ffaelon ni neud yr olygfa heb chwerthin. Bryd hynny ro'dd ymarfer o 10 y bore tan 5 y prynhawn i bawb – p'un ai un olygfa neu chwech golygfa oedd 'da chi. Ta beth, do'dd Ron ddim yn hapus a halodd e ni 'nôl i'r ystafell werdd tan ddiwedd y dydd fel dau blentyn drwg. Am bump o'r gloch dyma Eirlys a fi'n trio eto. 'Ro'n ni'n dau yn gwybod yr olygfa *inside out* ond pan o'n ni ar lawr yr ystafell ymarfer – ffaelu stopio chwerthin.

"Ma' rhai ohonon ni ishe te," medde Ron.

Ac er i Eirlys a fi drio a thrio, ffaelon ni neud yr olygfa heb chwerthin. Erbyn i ni gyrraedd y stiwdio ro'dd yr olygfa'n iawn!

Cofio bod yn y stiwdio unwaith yn recordio a Rhiannon Rees, y Cyfarwyddwr, yn dweud wrth Ernest Evans a fi i beidio dechre'r ddeialog yn syth gan ei bod hi'n dechre'r olygfa ar shot o ecstra'n dod mewn trwy ddrws y Deri ac yn panio lawr at Sarjant James a Sarjant Jenkins yn bwyta'u cinio. Felly ro'dd angen tamed bach o ad-lib ar ddechre'r olygfa cyn dechre'r deialog iawn.

Bant â ni felly – *action*.

Do'n i ddim yn disgwyl clywed beth glywes i'n dod o geg Ernest.

"Ti'n gwbod pwy weles i yn yr ardd heddi?" medde fe.

"Pwy?" medde fi.

"Tomos y Tanc ychan!" medde Ernest.

Roedd hyn yn ddigon i fi. Dechreues chwerthin yn uchel.

"CUT!"

Fi ga'th y stŵr. Doedd dim gwên yn agos i wyneb

diniwed Ernest! Mynd amdani eto felly.

"*Action*."

Penderfynais i ddechre'r ad-lib y tro 'ma.

"Pam chi'n byta mas fan hyn heddi, Tal? Smo Rita 'di neud cinio i chi?"

A dyma'r ateb ges i gan Ernest.

"Ma' hi 'di mynd mas 'to – blydi jipsi!"

Fi'n chwerthin 'to. Fi'n cael stŵr 'to. Fi'n trio dweud taw Ernest o'dd yn neud i fi chwerthin ond doedd neb yn fy nghredu i! Ac Ernest yn ishte 'na fel 'se menyn ddim yn toddi yn 'i geg e!

Ernest Evans – un o'r bobl neisa ges i gyfle i weithio 'dag e ar *Pobol y Cwm*.

T JAMES JONES

Bûm yn olygydd yn adran sgriptio BBC Cymru rhwng 1982 a 1994. Fy ngwaith pennaf oedd golygu sgriptiau *Pobol y Cwm*. Yn ystod y cyfnod hwn y datblygwyd y gyfres i bum rhaglen bob wythnos, a'r elfen a wnâi'r gofal mor gyffrous oedd y ffaith fod y rhaglen, am gyfnod, yn cael ei theledu ddiwrnod ei recordio. Gan amlaf, yr her a wynebai'r golygydd yn foreuol fyddai cynnig sylw ynglŷn â rhyw ddigwyddiad cyfamserol er mwyn ei gynnwys yn y sgript. Ambell waith, fe'n gorfodid i newid sgript yn sylweddol ar fyr-rybudd oherwydd tostrwydd actor.

Y cwmni dethol yn yr adran sgriptio yn 1982 oedd William Jones, Siôn Eirian a Dewi Wyn Williams; yn ddiweddarach yr ymunodd William Gwyn â ni. Y 'giaffar' oedd y dihafal Gwenlyn Parry. Carwn fynegi fy ngwerthfawrogiad o gyfeillgarwch fy mhenaethiaid a'm cydweithwyr yn ystod y cyfnod. Fe fu hi'n fraint ac yn addysg i mi gael rhannu'r cyfrifoldeb o fod ar yr un cludfelt â hwy!

Un o'm diddordebau mawr yn y gyfres oedd tafodiaith trigolion Cwmderi. I mi, pentref rhwng Crosshands a'r Tymbl oedd Cwmderi, ac o'r herwydd, credwn ei bod hi'n bwysig i'r sgriptiau gyfleu tafodiaith yr ardal honno. Deuai pobol ddŵad, wrth gwrs, â'u tafodieithoedd eu hunain, a byddai hynny'n ychwanegu at amrywiaeth y tapestri ieithyddol, ond ceisid rhoi tafodiaith Gorllewin Shir Gâr i'r cymeriadau brodorol. Yn ôl rhai beirniaid byddai'r dafodiaith y byddwn i'n ei chynnwys yn y sgriptiau yn nes at dafodiaith Castellnewydd Emlyn nag un Crosshands a'r Tymbl! Rhaid i mi dderbyn dilysrwydd y feirniadaeth honno. Yr unig amddiffyniad sydd gennyf yw bod fy edmygedd o'r dafodiaith a etifeddais gyfuwch, nes fy mod yn awyddus iddi gael ei chlywed gan gynifer â phosib! A chan fod gweld geiriau fy nhafodiaith ar bapur hefyd yn llonni fy nghalon, fe restraf rai o'r ffefrynnau y byddwn i'n falch o'u cynnwys yn y sgript olygedig: *becso, bennu, brawl, bripsyn, bwmbwrth, cafflo, carco, carlibwns, cintachlyd, clatshen, carco, cricsyn, cwtsho, cwmws, dadleth, damshgel, dansier, danto, dishmoli, dwgyd, dwli, ewn, ffaliwch, gwala, gweud, jonac, jogïan, macyn, matryd, moelyd, pango, pentigili, porcyn, pwdryn, pwlffacan, rhoces, sboner, shirobyn, wejen*. Wedyn, ymadroddion neu idiomau megis: *bant â'r cart, crafu tato, crasu dillad, clatsho bant, ers ache, gronda 'ma, hala ofon, joio mas draw, ma' fory heb 'i dwtsh, mla'n ma' Canaan, mynd am wâc, mynd o fla'n gofid, pawb â'i gleme, siwrne wast, torri bogel, whilbero mwg.* Ac roedd dynodi'r dull o negyddu'r ferf 'bod' yn bwysig: *sa i'n moyn, so ti'n moyn, so fe'n moyn.*

Wy'n falch iawn bo' fi'n galler cwmryd rhan fel hyn yn y parti pen-blwydd. Gobeitho y bydd crugyn yn dala i joio dilyn hanes Cwmderi am bŵer o flynyddo'dd i ddod.

Mae T James Jones yn fardd coronog a dyma rai o'i englynion i Gwmderi a'i chriw.

I Dic Deryn

Deryn yr uchelderau – yn hedfan
i'w adfyd ar brydiau.
Er cipio hwyl o'r copâu,
daw awr ei iselderau.

Athrylith herio hualau – yn gaeth
yn sgip y tynghedau.
'Rôl llenwi ei lorïau
â'i gaca'i hun, daw'r gwacáu.

Dic Deryn

Pobol y Cwm

I deledu aelwydydd o – Fynwy
i Fôn drwy bob tywydd,
daw trochion Y Sebon sydd
yn bennod o'r Cwm beunydd.

Tîm Pêl-droed Cwmderi

Rhai gwamal fel tîm Wali – ni chelem
un emblem yn Wembley.
Ein socer sy'n go swci,
ond rhoi nawdd yw'n tarian ni.

GARETH LEWIS

TEYRNGED I DILLWYN OWEN

Bu Dillwyn yn chwarae rhan Jacob Ellis o'r bennod gyntaf tan ganol y 90au. Dyma'r deyrnged a dalwyd iddo yn ei angladd gan Gareth Lewis.

Yn blentyn 10 neu 11 oed yn y 50au canol, byddwn i (a miloedd o blant Cymru o ran hynny) yn arfer eistedd o fewn modfeddi i'r set radio, yn gwrando'n eiddgar-ofnus ar ddwy gyfres ddrama gyffrous gai eu darlledu'n fyw ar yr hen Welsh Home Service. *SOS yn Galw Gari Tryfan*, bob nos Fawrth, oedd un, *Counterspy*, bob nos Iau, oedd y llall.

Roedd Dillwyn yn y ddwy gyfres – ond cystal oedd ei allu lleisiol fyddech chi byth wedi sylweddoli hynny oni bai am y cyhoeddiad ar ddiwedd y rhaglen. Ar wahanol adegau chwaraeodd rannau Gari ac Alec yn *Gari Tryfan* a rhan Rocky, swyddog yn y fyddin o Ganada, yn *Counterspy*; ond hefyd chwaraeai lu o fân gymeriadau eraill (yn ddynion da a drwg, yn werinwyr cyffredin o'r Gogledd a'r De ac yn fyddigion ac uchelwyr o bob cwr o'r byd), heb sôn am greu, yn gwbwl feistrolgar, yr effeithiau sain pwrpasol oedd yn gymaint rhan o grefft actor radio.

Wyddwn i ddim bryd hynny y byddwn i, rhyw ddiwrnod, drwy hap a damwain yn fwy na dim, yn sefyll wrth ei ochr o flaen meicroffonau'r BBC, ac yn fwy pwysig, yn cael y fraint o'i ystyried yn ffrind i mi.

Pan ddaru ni gyfarfod am y tro cyntaf yn Stiwdio 3 Caerdydd, darganfyddais iddo dreulio cyfnod mebyd yn ardal Llanfairfechan (lle'r oedd ei dad yn rheolwr banc) a'n bod ein dau (ar gyfnodau gwahanol) yn gyn-

Jacob Ellis

ddisgyblion Ysgol Ramadeg Friars, Bangor; o'r foment honno roedd dolen gyswllt a barhaodd 30 mlynedd neu fwy wedi'i ffurfio rhyngddom.

Nid fod angen unrhyw ddolen gyswllt mewn difrif – roedd Dillwyn yn berson y gallech ei hoffi'n syth; roedd yn un ffraeth, fe hoffai glyfrwch chwarae ar eiriau (gan ennill sawl cystadleuaeth i greu brawddeg fachog i hysbysebu rhyw fwyd neu ddiod penodol); meddai hefyd ar hiwmor diniwed a di-feddwl-ddrwg. Chwarddai o waelod ei fol, ond yn amlach na pheidio deuai'r chwerthiniad i ben yng nghanol pwl o beswch brawychus o arw. "Yr hen fegin!" ebychai trwy'r cwbwl, gan fwrw'i frest.

Treuliais 30 mlynedd yn gwylio ac edmygu ei broffesiynoldeb llwyr o fewn y byd darlledu. Rhyfeddais lawer gwaith at ei allu i greu cymeriadau crwn, credadwy ac amrywiol eu natur a'u hacenion, yn amlach na pheidio allan o sgriptiau digon tenau a fflat; gresynwn nad oedd gen i ei allu i gofio areithiau hir a chymhleth fel ag y gwnaeth yn *Y Rhandir Mwyn* ac fel Capten Trefor yn y fersiwn deledu gyntaf o *Enoc Huws*. Synnais at ei dalent fel cartwnydd pan gyfrannai at gylchgrawn undeb yr actorion yma yng Nghymru. Gwenais (fel pawb arall) pan gwynai am brinder gwaith, ac yntau newydd dreulio'r diwrnod cynt yn ymarfer *Pobol y Cwm* yn y bore, recordio un o'i gannoedd raglenni i ysgolion yn y prynhawn a darllen y newyddion yn raenus i Radio Cymru neu Radio Wales gyda'r nos! Ond un fel'na oedd Dillwyn – ac roedd rhywsut hyd yn oed yn fwy hoffus oherwydd hynny.

Mae'n beth rhyfedd, ond efo rhai pobol does dim rhaid dweud eu henwau nhw'n llawn; felly roedd hi gyda Dillwyn. Dim ond dweud 'Dillwyn' neu hyd yn oed 'Dill' oedd eisiau, ac fe wyddai pawb am bwy roeddech chi'n sôn. Erbyn meddwl, mae hynny'n dweud llawer amdano – heb os, roedd Dillwyn yn unigryw.

Oherwydd ei fod yn un o 'gymeriadau' y byd actio yng Nghymru roedd pethau fel 'tae nhw'n bownd o ddigwydd i Dill. Mae straeon diddiwedd amdano; unwaith, heb niweidio'i hun, diolch i'r drefn, tra'n ffilmio golygfa nos yng Nghastell Caerffili, bu'n rhaid ei achub wedi iddo syrthio i'r ffos sydd o amgylch y castell; dro arall, yn ystod hoe am baned tra'n ffilmio'r epig *Hawkmoor* ar Gors Caron, 30 neu 40 milltir o'r siop agosaf, bwytodd ef a Hubert Rees y ddau afal (yr *unig* ddau afal) oedd ar gael i'w defnyddio mewn golygfa bwysig oedd i'w ffilmio y p'nawn hwnnw; wrth gychwyn am adref o stiwdio Broadway ryw gyda'r nos, rifyrsiodd ei gar i goeden anferth; daeth allan o'r car, rhythu'n anghrediniol ar y difrod a thyngu ar ei lw nad oedd y goeden ddim yno pan barciodd y car y bore hwnnw!

Nerys Cadwalader, Jacob Ellis a Maggie Post

Un bore, ac yntau i gymryd rhan mewn brwydr ffyrnig gyda chleddyfau mawr trymion mewn rhyw ddrama deledu i George P. Owen (y Ficar yn *Pobol y Cwm* yn ddiweddarach), daeth Dillwyn i'r ymarferion gyda golwg boenus tu hwnt ar ei wyneb a'i fraich chwith – y fraich yr oedd o ei hangen gogyfer â'r frwydr, gan mai dyn llaw chwith oedd Dill – mewn sling. Roedd wedi cael anaf drwg, meddai, wrth roi'r biniau allan i'w wraig, Jessie, a'r meddyg wedi ei rybuddio i beidio symud y fraich am rai diwrnodau. Yn naturiol derbyniodd gydymdeimlad pawb a gwnaed trefniadau brys i ailwampio'r ffilmio. Ychydig cyn hanner dydd, heb fath o rybudd, tynnodd Dill y sling oddi am ei fraich, a gyda gwên lydan o foddhad, gwaeddodd "Ffŵl Ebrill!!" dros y lle. Roedd pawb ond Dill wedi anghofio'r dyddiad!

Mae llawer rhagor o straeon amdano, ac o bryd i'w gilydd, yn ystod y blynyddoedd diwethaf, fe'u dwynwyd i gof gan y rhai ohonom fu'n ddigon ffodus i'w adnabod; yn ddieithriad daw gwên i'n wynebau wrth gofio'n annwyl am Dillwyn – gŵr hynaws ac aml-dalentog nad yw ei gyfraniad i radio a theledu yn y Gymraeg a'r Saesneg dros gyfnod o 40 mlynedd a mwy wedi ei werthfawrogi na'i gydnabod yn llawn hyd yma. Colled fawr oedd colli Dillwyn.

Cerddi Gareth Lewis i rai o'i gyd-actorion

TUSH

Ysgrifennwyd y gerdd hon gan Gareth ar ymadawiad Islwyn Morris o'r gyfres yn 2002

Station master oedd Tush – ac un ffein –
A hynny ers *seventeen o-nine*,
Ond heddiw, mewn hedd,
Mae'n gorwedd 'n ei fedd,
Fe gyrhaeddodd o ddiwedd y lein.

Roedd 'David' yn dipyn o dyffar
Cafodd ddwy o wragedd, m'yn yffar',
Ond er gwaethaf ei wên
A'i dymer mor glên
Mae'r trên wedi hen hitio'r byffar.

Collir rhai o ganlyniad i drawiad,
Rhai eraill drwy faglu ar garpad;
Ond ar ddiwedd ei daith
Eironig yw'r ffaith
Drwy ffôn-mobeil y cafodd o'i Alwad!

Bydd yn chwith ar y naw hebddo fo
Yn troedio hyd lwybrau'r hen fro
Nid hawdd fydd anghofio
Ei drwsiadus osgo,
Ei wasgod, ei ffon a'i dei-bô.

Rhag i bawb ddechra' crio 'run pryd
Mae 'na un cysur mawr i ni'i gyd;
Cyn saffed â'r banc
Er i Tush fynd i'w dranc,
Mae Islwyn fel glaslanc o hyd!

Dyff

DYFF

Limerig i Dewi Rhys ar ei ymadawiad o'r gyfres yn 2000

Fuo 'rioed gymeriad anwylach
Yng Nghwmderi – 'run moelach – 'run talach;
Ond torrodd Frank Price
Yr hen Dyff lawr i seis;
Cysgu-beis dan chwe troedfadd mae bellach.

RIP REG

Ar ymadawiad Huw Ceredig o'r gyfres yn 2003

Mae hon yn stori am ddau fath o ffigyr
Am ffawd ac anffawd, fel reid ar 'big-dipper';
O'r gweision i'r bos,
Mi ddaw dagrau'n ddi-os
Ac, o bosib', mi lychwch chi'ch nicyr.

Oherwydd rhyw 'bug', aeth Williams Pwllmawr,
Yn lle gwylio'r Sianel, i'r toilet, am awr;
Ond yn S4C
Teimlwyd andros o glec
Ac aeth nifer y gwylwyr drwy'r llawr.

I gyfiawnhau ffigyrau mor llwm
A slap draws y wynab mor uffernol o drwm
Penderfynodd rhai,
Yn syth, fwy neu lai,
Roi y bai ar Bobol y Cwm.

Gyrrwyd llythyr cas at benaethiaid yr adran
Yn cwyno'n arw am safon y rhaglan
"So ni'n becso dam
Am sut, pwy na pham,
Fel Saddam, ma'ch amsar 'di rhedag allan!"

Cafwyd cwarfod brys, i feddwl am stori
Allai achub y Bîb (a hen bentref Cwmderi)
Rhag suddo'n y man,
Fel slops, lawr y pan,
A diflannu, fel 'na'th pleidlais y Tori.

Wedi llawer iawn o grafu penna'
A thawelwch pur llethol, a hynny am oria'
Fe fentrodd un glew
"Gin i syniad go lew;
Be' am ladd rhywun tew – nid un tena!"

"Beth yw'r fantais?" gofynnwyd i'r dyn
Ac atebodd yn sarrug a blin:
"Mae'n amlwg i mi
Os nad ydio i chi –
Bydd lle i *dri* mewn *wide-angle* – nid un!"

Cafwyd munudau hir o chwerthin a dirmyg
Am wiriondeb llwyr rhoi cynllun mor chwithig
Gerbron gwybodusion
Y byd telifishon
Efo digon o syniadau i'w cynnig!

Reg a Megan

Ond, yn absenoldeb dim mymryn mwy
O syniadau gwych sut i achub y plwy'
Yn hynod ofalus
Mesurwyd pob trowsus
Ac roedd un oedd gryn dipyn yn hwy.

Trodd wynebau'r penaethiaid yn *light shade of green*
Pan ddatgelwyd yr enw ar label y tin –
Roedd perchen y trowsus
Yn berson peryglus
Yn ddanjerus a chythral o flin!

Galwyd ambiwlans, nyrsus a phedwar doctor
O'r NHS a'r *private sector*
Rhag ofn byddai'u hangen
Ar gynhyrchydd y rhaglen
Wrth ddarllen y ddedfryd i'r actor.

A rhywsut, fe dorrwyd y newyddion garw
Mai Reginald Harries fyddai'n gorfod marw
Ond – diolch i Dduw –
Mae Huw dal yn fyw
Ac yn para i brocio fel tarw.

HYWEL EMRYS

Yr wyf wedi cael y fraint o fod yn aelod o 'deulu' *Pobol y Cwm* ers 1985 pan ymddangosais i fel lleidr defaid yng nghwmni Alun ap Brinley.

Mae gen i lu o atgofion. Rhaid dweud mai dau sy'n sefyll allan yn glir.

Mae'r cyntaf o'r cyfnod dwyn defaid. Roedd yn rhaid i mi ffilmio golygfeydd lle'r oedd y lladron yn cael eu cwrso a'u dal gan yr heddlu. Ffilmiwyd y golygfeydd yn lonydd cefn yr Eglwys Newydd yng Nghaerdydd. Ffyrdd tyllog a cherrig man ymhobman. Hawdd i Sarjant Tal Jenkins (Ernest Evans) – eistedd yn y car yn gwylio oedd ei jobyn e. Hawdd i Alun ap Brinley – rhedeg rownd y gornel i gyfeiriad car Tal Jenkins oedd ei jobyn e. I mi a PC Glyn James (Ieuan Rhys) roedd pethau damed bach yn anoddach. Roedd rhaid i Glyn James ddal John (ie, nage Derek o'n i bryd hynny) a'i daclo mewn steil tacl rygbi. Doedd gennym ni ddim arbenigwr neu ddyn stynt y noson honno ond fe *oedd* gennym fat trwchus glas a elwir yn y busnes yn *crash mat*. Dim problem. Rhedeg at y mat. Sarjant James yn taclo – glanio yn gyffyrddus ar y mat megis gwely plu!! Dim ffiars o beryg! (ys dywed Meic Pierce). Roedd y mat i'w weld ar gamera yn ystod pob ymarfer felly ar gyfer y *take* penderfynodd y Cyfarwyddwr y byddai'n edrych yn well *heb* y mat.

"Action!" – dyma fi'n rhedeg at y camera yna

Derek

Mandy, Derek a Fiona

neidiodd Ieuan ar fy mhen o tua dwy lathen. Glanio ar fy nwylo. Rhwygwyd y croen gan gerrig man ond yn *waeth* fe deimlais boen ofnadwy yn fy nghefn. Roedd gan y plismon radio wedi ei wneud allan o bren yn ei boced a gyda dros bymtheg stôn o bwysau Ieuan y tu ôl iddo – roedd marc ar fy nghefn am wythnosau! Hyd yn oed ar ôl i'r cytiau ar fy nwylo wella! Nid oedd yn anodd actio pan ddwedodd y cyfarwyddwr wrtha i edrych at PC James gydag atgasedd!! Ond ers hynny mae Ieuan a finnau wedi bod yn ffrindiau agos iawn. Er i Sarjant James (fel y daeth i fod) a Derek beidio bod yn agos o gwbl.

Mae'r ail stori yn dangos pa mor agos all ffuglen a'r gwir fod at ei gilydd.

Gofynnwyd i mi ym 1996 gan y cynhyrchydd bryd hynny (Cliff 'Clogs' Jones) os fydden i'n fodlon dysgu gyrru motobeic ar gyfer stori oedd yn dod i fyny yn y gyfres. Trefnwyd i mi gael cwrs wythnos gyfan a phrawf llawn ar y diwedd. Aeth yr wythnos yn gyflym iawn ac mi oeddwn yn mwynhau dysgu gyrru motobeic yn fawr iawn. Fe ddaeth diwrnod y prawf ag fe es i yn hapus ac yn llon o swyddfa profion moduron y Tyllgoed yng Nghaerdydd i gyfeiriad Llandâf. Fe gyflawnes i'r *hill-start* yn iawn ac mi oedd pethau yn mynd yn dda. Tan i lorri fawr wen benderfynu rhoi stop ar y cyfan drwy yrru i mewn i mi!! Mewn eiliad fe ddatgymalwyd fy mhenelin ac fe dorrwyd asgwrn yn fy mraich (bydde rhai yn dadlau mae fy mhen oedd angen triniaeth!). Fe fues i yn yr ysbyty ar ôl llawdriniaeth frys am wythnos a hanner, ac adre am fis cyn dychwelyd i'r stiwdio.

Fel roedd hi'n digwydd, yr olygfa gyntaf (bron) i mi ei ffilmio oedd yr olygfa lle gafodd Fiona Metcalfe (Lydia Lloyd Parry) a Derek ddamwain motobeic!!! Sef yr olygfa oedd gan Cliff mewn golwg pan ofynnwyd i mi ddysgu gyrru motobeic. Eto nid anodd oedd actio'r golygfeydd yn yr ysbyty yn ystod y cyfnod hwnnw. Roeddwn i wedi byw'r profiad go iawn am wythnosau! A ydy Dustin Hoffman ag Al Pacino wedi gwneud hynny? Go brin!!

ANDREW TEILO

Roedd y gloch ar gyfer egwyl y bore ar fin canu. Prin bum munud oedd ganddom i ffilmio'r olygfa – Hywel Llywelyn o flaen dosbarth o blant, yn ceisio'i orau i'w dysgu ond â'i feddwl, fel arfer, rywle arall. Roedd Dan, ei dad, yn ddifrifol wael yn dilyn trawiad; Hywel yn ceisio dygymod â'r ffaith, er nad iddo fod yn or-hoff o'i dad erioed. Corwynt o emosiynau

Beth a Hywel

dyrys a chymysglyd. Beth petai ei dad yn marw, a Hywel heb gymodi ag ef? A oedd ganddo wir ots?

Ta waeth, un cynnig fyddai ganddom i wneud yr olygfa hon, roedd hynny'n berffaith amlwg. Roedd amryw o broblemau technegol wedi peri i ni golli tipyn o amser wrth baratoi ar ei chyfer, a chaniad cloch Ysgol Gyfun Glantâf – lleoliad ffilmio y bore hwnnw – yn nesáu'n beryglus. Fyddai dim gobaith petai'r gloch yn ein trechu; degau o ddisgyblion yn t'ranu allan o ddosbarthiadau, gan gynnwys fy 'nosbarth' i, yn gwneud ffilmio'n amhosib. Dim disgyblion, dim golygfa.

Dim ots. Ro'n i'n ddigon hapus, digon hyderus, yn gwybod fy leins yn iawn ac yn sicr o'r modd y byddwn yn eu chwarae. Rhedai'r olygfa fel â ganlyn:

HYWEL: (WRTH Y DOSBARTH): Ac mae'r gwyntoedd cryf 'ma'n tarfu o anialwch y Sahara, a symud yn glou i gyfeiriad...

CNOC AR Y DRWS YN TORRI AR EI DRAWS.

HYWEL: Dewch mewn!

MAE UN O GYD-ATHRAWON HYWEL YNO.

ATHRO: Mr Llywelyn, galwad ffôn i chi yn y swyddfa. Mae'n swno'n bwysig.

HYWEL (YN OFNI'R GWAETHA): Iawn, fydda i 'na nawr. (WRTH Y DOSBARTH) Reit... Cariwch 'mla'n â'ch gwaith, fydda i'n ôl mewn muned ne' ddou.

MAE HYWEL YN GADAEL.

A dyna hi. Ar yr olwg gynta golygfa ddigon syml, dim bwganod. Un têc, dim problem. Ar goll yn fy mharatoadau tawel, â'r adrenalin yn dechrau llifo, roeddwn yn barod; yn barod i hoelio hon mewn un. (Mae nerfau, fel rheol, yn medru bod yn felltith i bobl yn eu bywydau bod dydd, ond nid cymaint i actor. Heb nerfau, dyw'r perfformiad yn ddim. Di-fflach. Anniddorol. Mae'r lefel iawn o nerfusrwydd yn cadw'r actor mewn lle angenrheidiol o beryglus, ar fin y

Stacey a Hywel

gyllell, ac yn ychwanegu haenen gredadwy i'r chwarae. Ychwanegu awch.)

Felly, ro'n i'n barod. BAFTA am hon, dim dowt.

Ac yna, fel mam yn arw ddeffro'i phlentyn o niwl cwsg ar fore ysgol, clywais lais. Llais yn trafod, yn darbwyllo. Ymbilio, braidd.

"*Say it like this:* Mr Lly – we – lyn… galwad ffôn i chi yn y swyddfa."

Y Cyfarwyddwr oedd yn siarad, tinc sylweddol o gonsýrn yn ei lais. Dyma lais yn ei ateb, "*Mr Clywellen… Phone ee kee…*"

"*No, no… Not Clywellen…* Llywelyn… *Lly – we – lyn!*"

"*Floo – el – ên…*"

A hyn i gyd yn digwydd yr ochr arall i'r drws, yn y coridor y tu allan i'r ystafell ddosbarth. Allan o'r golwg, ond yn bell o fod yn gyfrinach i'r sawl a oedd yn aros i fynd am gynnig oddi mewn. Roedd ein cyfarwyddwr, ymddengys, yn cael cryn drafferth i gael yr ecstra a chwaraeai'r athro arall yn yr olygfa i ynganu'r enw 'Llywelyn'. Grêt, meddyliais, beth am y ddwy frawddeg *arall* o Gymraeg pert a oedd ganddo, rywsut, i'w delifro? Dechreuais feddwl am ffyrdd symlach o aralleirio'r frawddeg iddo, ond rhy hwyr.

"Dau funud cyn y gloch!" geiriau llawn panig-dan-reolaeth y rheolwr lleoliad.

"*All right, we're going to have to go for a take. Run-up, camera.*"

"*Running up,*" daw ateb y gŵr camera, yntau â rhyw wên ddieflig ar ei wyneb, yn amlwg yn edrych ymlaen i weld gymaint o siambls fyddai'r olygfa hon. Doedd neb wedi ei hymarfer hi, hyd yn oed, mor brin oedd ein hamser y bore hwnnw.

"*Speed!*"

O, shit!

"*Action!*"

A dyma ddechrau arni. Es ati fel dyn yn aros ei

Hywel a Nia

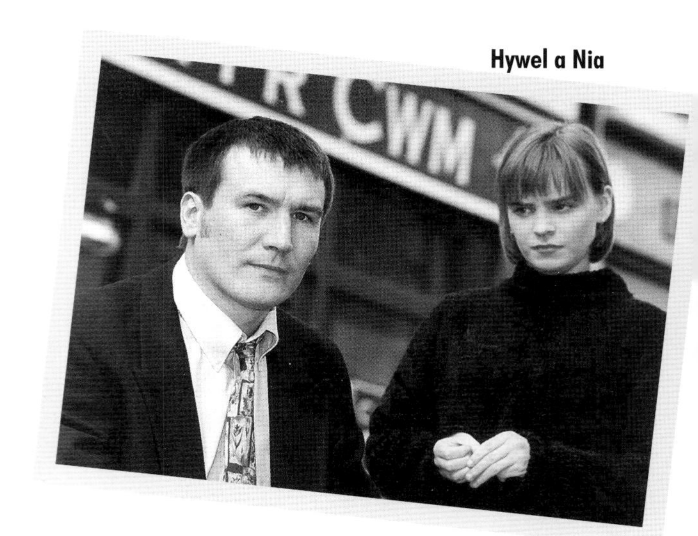

ddienyddiad ei hun; ysu am fod rhywle arall, ond diymadferth yn wyneb ei dranc. Gyda phob gair, sill ac anadl, medrwn deimlo cysgod y grocbren yn agosáu. Clywed clic y dryll wrth fy nhalcen. Ond nid clic gwn mo hwn, sylweddolais, ond curiad ar y drws, fel nodau cyntaf Pumed Beethoven. Dy, dy ,dy, dyyy... ffawd yn galw.

"Dewch mewn!"

Dere mewn, ffawd. Gwna dy waetha.

A gyda hynny, daeth wyneb, main-fel-wenci, dyn canol oed i'r golwg, yn swil drwy gil y drws. Llygaid fel y gwningen ddiarhebol honno o flaen goleuadau'r car. Yn y *slo-mo* mwyaf perffaith, agorodd y dyn ei geg i siarad. Ro'n i'n teimlo fel clapio 'nwylo dros fy nghlustiau, ond fyddai hynny wedi edrych yn ... wel ... sili ar gamera. Bydda'n wrol, meddyliais, dal dy dir. Gwelais ddiferion o chwys yn gloywi fel perlau ar ei dalcen, ei dafod yn dechrau ystumio'n araf fel modd o ffurfio gair. Neu rywbeth tebyg i air. Dyma hi.

"*Phone!*" meddai, a chau'r drws yn glep.

Mae'n debyg i'r boi ddod o Weston Super-Mare, neu rhywle. Welais i mohono mewn unrhyw gyswllt wedi'r bore hwnnw.

TONI CAROLL

Yn aml iawn wrth ddod i *Pobol y Cwm* mae actor yn teimlo fod y ffin rhyngddyn nhw a'u cymeriad yn gallu bod yn denau iawn. Ambell waith mae beth sydd yn digwydd yn y stori yn gallu cael ei adlewyrchu ym mywyd yr actor. Profiad felly gafodd Toni Caroll pan ddaeth hi i mewn i'r gyfres fel Olwen Parry. Roedd Toni (ac Olwen) eisoes wedi bod yn y gyfres am ychydig o fisoedd o'r blaen mewn stori gyda Stan a Doreen Bevan – roedd Stan yn casglu dyledion ac roedd Olwen yn wraig i un o'r dynion roedd Stan ar ei ôl. Yn groes i'w gymeriad, fe deimlodd Stan drueni dros Olwen a daeth ef, hi a Doreen yn dipyn o ffrindiau ond cymryd mantais o Stan roedd Olwen a buan iawn y dihangodd i Sbaen gyda'r arian roedd Stan i fod i'w gael.

Pan ddaeth yn amser i Maggie a David Tushingham ymddeol o'r siop, roedd y cynhyrchwyr yn chwilio am deulu newydd i redeg y busnes canolog hwn yn y pentre. Yn hytrach na chyflwyno cymeriadau cwbl newydd penderfynwyd dod ag Olwen yn ei hôl o Sbaen gyda'r bwriad o gyflwyno ei merch, Karen, yn ddiweddarach. Yn y stori roedd Olwen wedi dod yn ôl i Gymru i gladdu ei mam, a gan fod pethau'n ddigon gwael gartre yn Sbaen rhyngddi hi ac Alex, ei gŵr, penderfynodd Olwen brynu Siop y Pentre ac aros yng Nghwmderi. Y Sadwrn cyn i Toni ddechrau ffilmio'r stori roedd hi'n claddu ei mam ei hun a digon anodd oedd hi arni i fynd drwy'r stori gan fod Olwen, oedd yn dechrau dangos symptomau *schizophrenia,* yn clywed llais ei mam trwy'r amser. Yn ffodus i Olwen roedd Llew yno i fod yn gefn iddi ond cafodd Toni a Rhys bwl mawr o chwerthin wrth wneud un olygfa.

Gina, Olwen a Karen

Roedd Llew yn helpu Olwen i roi llenni newydd ar y ffenestr. Dal i glywed llais ei mam roedd Olwen ond wrth i Toni ddweud y llinell, y cwbl roedd hi'n gallu glywed oedd bol Rhys yn cadw sŵn. Roedd Toni a Rhys yn eu dyblau a'r criw ar y llawr yn methu'n llwyr â deall beth oedd mor ddoniol!

Y tu allan i'r gwaith, roedd ambell i wyliwr yn cael trafferth gwahaniaethu rhwng Toni ac Olwen ac mae Toni'n cofio pan ddechreuodd hi redeg Siop y Pentre sut roedd merched yn ei dilyn hi o gwmpas yr archfarchnad ac yn gwylio beth oedd hi'n ei roi yn ei basged siopa. Byddai ambell un hyd yn oed yn cyfeirio at y nwyddau yn ei basged ac yn dweud, "Ma'n rhaid bod hwn yn tsiepach fan hyn nac yn 'ych siop chi!"

Yr amser gwaetha o ran y gwylwyr yn methu â gwahaniaethu rhwng Toni ac Olwen oedd yn ystod y cyfnod y torrodd Olwen galon Meic Pierce. Roedd carwriaeth annisgwyl wedi datblygu rhwng Meic ac Olwen a Meic wrth ei fodd pan gytunodd Olwen i'w briodi. Ond roedd cysgod ar y gorwel wrth i Alex ddychwelyd i Gwmderi. Roedd Olwen yn cael ei denu'n ôl at ei chyn-ŵr, ond hefyd yn dal i feddwl y byd o Meic. Dewis anodd ond yn y diwedd penderfynu mynd am Alex wnaeth Olwen. Roedd y gwylwyr, yn naturiol, o du Meic ond cafodd Toni sioc pan gafodd bryd o dafod gan un gŵr yn ei hardal leol am beidio priodi Meic Pierce. Chwerthin oedd ymateb Toni, gan fod y dyn yn ei nabod hi a'i theulu'n iawn, ond roedd y gŵr o ddifri a dechreuodd droi'n gas wrth feddwl fod Toni/Olwen yn cymryd ei thriniaeth o Meic yn ysgafn!

Rai blynyddoedd wedi i Olwen ddychwelyd i Sbaen cafodd Toni gynnig dod yn ôl i *Pobol y Cwm* am ychydig fisoedd – roedd Karen, ei merch, yn dal i fyw yng Nghwmderi a newydd adael Derek. Dychwelyd oherwydd ei bod yn dioddef o gancr wnaeth Olwen ond nid oedd am ddweud hynny wrth Karen. Er mwyn ceisio twyllo ei merch roedd Olwen yn gwisgo wig i guddio'r ffaith ei bod wedi colli ei gwallt ac er mwyn cael realaeth i'r golygfeydd roedd Toni'n gorfod gwisgo *skull cap* er mwyn ymddangos yn foel. Roedd Julie, y ferch golur, yn cymryd awr i roi'r *skull cap* ymlaen, ac un diwrnod, wrth i Julie wneud ei gwaith, cafodd Toni brofiad rhyfedd iawn – teimlodd rhywbeth yn mynd drwy'i chorff i gyd, fel rhyw fath o ias. Holodd Julie os oedd hi'n iawn – roedd hithau wedi teimlo'r ias yn mynd drwy gorff Toni wrth iddi weithio ar ei gwallt. Cerddodd Toni i mewn i stiwdio dawel a hyd heddiw mae hi'n dal i fethu esbonio beth yn union oedd y 'sioc' aeth drwy ei chorff hi'r diwrnod hwnnw.

WILLIAM GWYN

Mis Medi 1996 a *Pobol y Cwm* yn ei hanterth wrth iddi ddenu cynulleidfa o chwarter miliwn yn rheolaidd. Roeddwn i newydd gael fy mhenodi yn Olygydd y Gyfres, swydd oedd yn cyfuno cynhyrchu'r gyfres a chyfrifoldeb dros y sgriptiau a'r straeon, a roedd y pwysau i barhau â'r llwyddiant yn aruthrol. Roedd rhaid wrth gymeriadau cryf, credadwy a straeon oedd yn mynd i barhau i dorri tir newydd wrth i'r gyfres ddatblygu ac anelu am yr unfed ganrif ar hugain.

Mae'n siŵr gen i mai'r penderfyniad cynta mae unrhyw gynhyrchydd newydd ar unrhyw sebon yn ei wneud yw penderfynu cyflwyno teulu newydd a hynny er mwyn datblygu'r gyfres ac, wrth gwrs, osod ei stamp ei hun ar gynhyrchiad mae'n cael ei "fenthyg" am gyfnod nes bod y rhod yn troi a bod cynhyrchydd newydd a brwdfrydig arall yn cyrraedd i wneud yr un gwaith mewn ffordd fymryn yn wahanol!

Roedd creu teulu newydd yn mynd i fod yn dipyn o gamp i'r criw creadigol o storïwyr a golygyddion sgriptiau. Dim ond ychydig flynyddoedd oedd ers i un o deuluoedd mwya llwyddiannus *Pobol y Cwm* erioed droedio palmentydd Cwmderi a roedd y Joneses yn dal i fod yn gonglfaen i'r gyfres er fod Stacey, oedd bellach yn Mrs Hywel Llywelyn, ar fin troi ei chefn ar y pentre a mynd i barhau â'i haddysg ym mhrifysgol Caerdydd. Rhywle yng nghefn fy mhen, a rhwng sgwrs a phaned efo'r criw creadigol, teulu go goman oedd yn dechra dod at ei gilydd, teulu fyddai'n herio'r Joneses, teulu y byddai Kath hyd yn oed yn troi ei thrwyn arnyn nhw... Ond yna fe newidiwyd y trywydd yn llwyr wrth i benderfyniad oedd tu hwnt i fy ngafael i gael ei wneud.

Roedd Iola Gregory, Mrs Mac i chi a fi, wedi penderfynu am resymau dealladwy iawn ei bod hi'n bryd iddi hi adael Cwmderi. Roedd hon yn mynd i fod yn ergyd aruthrol i'r gyfres wrth i un o'r cymeriadau mwya poblogaidd ddweud ffarwél wrth y gin mawr! Doedd dim ond ychydig dros flwyddyn ers pan oedd y genedl gyfan yn rhannu ei dagrau a'i galar wrth iddi ffarwelio â Glan a rŵan roedd hithau am adael hefyd. I wneud

Glan a Mrs Mac

sefyllfa ddrwg yn waeth, roedd Mrs Mac bellach yn ganol affair gynhyrfus efo Dyff a Kath ar fin cael ei gwthio dros y dibyn gan y ddau. Sut yn y byd mawr oedd sgrifennu Mrs Mac allan? Doedd hi ddim yn mynd i farw, roedd hynny'n bendant – er fod gan Kath fwy na digon o gymhelliad i'w lladd hi. Dianc i Tenerife fyddai tynged Jean McGurk a hynny gan adael Dyff ar ôl yng Nghwmderi er i'r ddau gynllwynio i adael gyda'i gilydd.

Ond nid bwlch yng nghalon Dyff fyddai'r unig fwlch yn sgil yr ymadawiad hwn. Roedd bwlch yn mynd i fod yn y Deri hefyd. Dyma ganolbwynt Cwmderi a *Pobol y Cwm* a'n sydyn iawn roedd angen teulu newydd i lenwi'r lle. Roedd Teg a Cassie o gwmpas ers rhai blynyddoedd a Teg wedi ymgartrefu yn y cwm ers i Glan farw. Mynd a dod wnâi Cassie a hynny oherwydd fod Sue Roderick yn actores brysur a phoblogaidd. Ond yn Teg a Cassie roedd yna gnewyllyn teulu – un digon anghonfensiynol o reidrwydd efo'r ddau yn briod ers blynyddoedd ac wedi methu â chael plant a Cassie yng nghanol rhyw *affair* neu'i gilydd yn amlach na pheidio. Y cam cynta, cyn hyd yn oed dechra meddwl am ddatblygu'r ddau i fod yn ganolbwynt y Deri oedd perswadio Sue Roderick i aros yng Nghwmderi am o leia flwyddyn yn ddi-dor. Diolch i'r drefn, cytunodd i wneud hynny. Roedd rheolwyr newydd y Deri gynnon ni. Ond roedd yn rhaid ymestyn y teulu hefyd.

Reg, Megan, Doreen a Stan

Doedd beichiogrwydd annisgwyl i Cassie ddim yn opsiwn. Pwysleisiwyd fwy nag unwaith yn y stori nad oedd y ddau yn gallu cael plant a, ph'run bynnag, dim ond rhyw ddwy flynedd oedd ers i Mrs Mac gael babi annisgwyl – roedd hi'n rhy fuan o'r hanner i ailgylchu'r stori yna! Ond roedd posibilrwydd arall, wrth gwrs. Beth petai Teg neu Cassie wedi bod yn dweud celwydd yr holl flynyddoedd? Beth petai plentyn eisoes yn bod? Beth petai'r plentyn hwnnw neu honno yn dod i chwilio am ei rieni? Dyma greu Steffan a phennod newydd yn hanes y cwm. Roedd Cassie wedi bod yn celu ei fodolaeth oddi wrth Teg ar hyd y blynyddoedd. Dim ond 18 oed oedd hi pan gafodd hi Steffan, a chafodd ei hanfon i Lerpwl at ei modryb am fisoedd lawer yn ystod y beichiogrwydd a dyna egluro pam na wyddai Teg ddim oll amdano. Gwyddai'r gynulleidfa am aelod arall o'r teulu hefyd, wrth gwrs – mam Cassie. I fyny at honno i'r gogledd roedd Cassie yn mynd bob tro roedd Sue Roderick yn brysur. Gyda Cassie bellach am ymgartrefu yng Nghwmderi doedd dim rheswm o gwbl pam na allai ei mam ddod i lawr yno i fyw hefyd. Dihangodd Beryl o'i chartref henoed yn Bethesda a dal y Traws Cambria i Gwmderi. Roedd ein teulu newydd ni wedi cyrraedd! Teulu roddodd, am flynyddoedd lawer, botensial am straeon cry a gafaelgar i'r gyfres.

Yr ail benderfyniad mae cynhyrchydd newydd ar sebon yn awyddus i'w wneud yw pa gymeriadau i'w gwaredu a thydi *Pobol y Cwm* ddim gwahanol i unrhyw sebon arall yn hynny o beth. Roedd Gareth Wyn ac Alun y Garej i fynd – roedd y cymeriadau, yn fy nhyb, i beth bynnag, wedi chwythu eu plwc. Marw fu hanes Alun a hynny yn ei dro yn esgor ar stori fawr i rai o'r cymeriadau oedd ar ôl megis Derek a Gavin. Dyma'r sbardun hefyd i ddod â Karen yn ôl i'r gyfres ac adfer y berthynas arbennig rhyngddi hi a Derek.

Creu problem wnaeth ymadawiad Gareth Wyn. Beth i'w wneud efo Reg? Oedd hi'n bryd iddo yntau i adael hefyd? Roedd y cymeriad wedi mynd yn ddigon ynysig ac wedi colli ei ffordd yn rhywle. Yr ateb rhwydd i'r 'broblem' oedd ei sgrifennu allan efo Gareth Wyn, ond, fel roedd nodyn ar y wal y tu allan i swyddfa William Jones, cyn Brif Olygydd Sgriptiau'r gyfres, ers talwm yn dweud: "There are no problems in life, only challenges." Rhaid felly oedd wynebu'r her. Y cam cyntaf yn adferiad Reg oedd ailgyflwyno ei ferch, Rhian Haf. A byddai Rhian yn dod â llu o broblemau yn ei sgil. O fewn pythefnos o ddychwelyd ceisiodd Rhian ladd ei hun oherwydd pwysau arholiadau Lefel A yn gymysg a'r pwysau roedd Reg a Megan yn ei roi arni i lwyddo ac i wneud cystal â Gareth Wyn. Roedd Reg yn ôl yn ei chanol hi a roedd y gyfres yn mynd i'r afael â phynciau dadleuol unwaith eto. Rhywbeth yr oeddwn i'n bersonol yn ysu i'w weld yn digwydd.

Yn sicr y stori mwya dadleuol i ddigwydd tra'r oeddwn i'n cynhyrchu oedd stori perthynas Lisa a Fiona gyda'r gusan rhwng y ddwy yn binacl y stori. Dyma un o'r cyfnodau anodda i mi yn fy swydd. Drannoeth y gusan fawr bu'n rhaid i mi fynd ar *Stondin Sulwyn* i amddiffyn y stori a roedd nifer o wrandawyr cyson Sulwyn yn ffieiddio ein bod ni wedi gwneud y fath stori. (Roedd nifer yn gefnogol iawn hefyd, rhaid dweud.) Anghofia i fyth un gwrandäwr yn ein cyhuddo ni o ddisgyn i safonau teledu Seisnig ac y byddai dangos straeon o'r fath ar *Pobol y Cwm* yn arwain at bleidlais o 'Na' yn y Refferendwm Datganoli. Wrth i'r sgwrs fynd yn ei blaen sylweddolais nad oedd y gwrandäwr ddim hyd yn oed wedi gweld pennod y gusan! Ar yr ochr ddifrifol, penderfynodd un teulu fod y gusan yn mynd yn rhy bell am saith o'r gloch y nos pan oedd teuluoedd yn gwylio gyda'i gilydd cyn y *watershed* a gwnaethpwyd cwyn swyddogol am y bennod i'r British Broadcasting Standards. Roedd hyn yn boen meddwl go iawn. Nid bwriad y stori oedd ypsetio neb ond yn hytrach trafod pwnc rhywioldeb mewn opera sebon Gymraeg a hynny, gobeithio, mewn dull sensitif. Yn y diwedd dyfarnodd y BBS o blaid y cynhyrchiad oherwydd fod y bennod wedi ei strwythuro mewn ffordd oedd yn ei gwneud hi'n amlwg fod cusan rhwng y ddwy ferch yn anochel. Roedd y dyfarniad yn galondid mawr ond roedd y gŵyn yn symbyliad i atgoffa rhywun yn ddyddiol o pa mor ofalus a chyfrifol mae'n rhaid trin straeon trwm mewn sebon.

Roedd Reg yn dal i fod yn her. Ar ôl sbel doedd ei wylio'n troedio'n ofalus o gwmpas Rhian ddim yn ddifyr. Rhaid oedd dod o hyd i drywydd newydd. Un o'r syniadau yr aethpwyd i'r afael ag o oedd carwriaeth i Reg, a hynny gyda merch oedd yn nes at oed Rhian na'i oed ei hun. Gina

Gina a Rod

oedd y dewis amlwg, roedd hi'n ifanc a llawn bywyd ond oherwydd amgylchiadau yn chwilio am sicrwydd a rhywun i fod yn gefn iddi. Dechreuwyd dilyn y trywydd hwnnw, aethpwyd cyn belled â meithrin cyfeillgarwch agos rhwng y ddau, ond unwaith eto daeth penderfyniad Catrin Fychan i gael hoe o'r rhaglen â'r stori i ben bron cyn iddi ddechrau. Wrth i'r storïwyr a'r criw golygyddol drafod – dros ginio yn y Copthorne os cofia i'n iawn – penderfynwyd y byddai ymadawiad Gina yn un parhaol. Hon fyddai'r stori mwya cymunedol a phellgyrhaeddol i ni ymgymryd â hi tra o'n i'n cynhyrchu. Roedd Gina i farw mewn damwain car. Cassie oedd yn dreifio ond roedd bai ar Derek a Karen oherwydd nad oeddan nhw wedi cwblhau'r gwaith ar y car yn iawn. Beio pawb fyddai Maureen. Roedd cyfle i ddod â Rod ac Eileen yn ôl am gyfnod ac roedd Denzil druan yn mynd i wynebu amser anodd iawn wrth i Maureen fynd trwy'r llysoedd i geisio rhwystro Rod rhag mynd â Gwen allan o'r wlad – hynny a cheisio lladd Cassie! Drannoeth y ddamwain gwyliodd 289,000 o bobl *Pobol y Cwm* a dyna efallai pryd y sylweddolais i go iawn pa mor bwerus all teledu fod wrth ddylanwadu ar fywydau pobl. Roedd y stori hon wedi cyffwrdd â'r gynulleidfa.

Ond 'chydig iawn o le oedd i Reg yn y stori a rhaid oedd cael stori iddo fo cyn bo hir. Aethpwyd ati i feddwl eto. Bellach, yn sgil stori Lisa a Fiona, roedd hyder i ymdrin â phynciau dadleuol yn sensitif. Beth petai Reg yn gwneud rhywbeth anfaddeuol? Hefyd yn gefn y pen roedd yr ysfa i gyflwyno'r teulu caled yn dal i fod yn fyw. Roedd Teg, Cassie, Steffan a Beryl yn gweithio'n dda ond fyddai neb o Gwmderi yn edrych i lawr arnyn nhw fel roedd pobl wedi edrych i lawr ar y Joneses. Penderfynwyd fod Reg i gael ei gyhuddo (ar gam fel roedd y stori'n datblygu) o ymyrryd yn rhywiol ar ferch o dan oed. Roedd hon yn ferch wyllt o un o stadau cyngor mwya ryff yr ardal ac roedd hi am gyhuddo Reg ar gam er mwyn cael cyffuriau gan Mark Jones. Wrth gwrs, roedd ei mam hi'n daran o ddynes oedd am ddial yn bersonol ar Reg Harries am gam-drin ei merch. A dyma felly gyflwyno Emma a Diane Francis i'r gyfres – dwy allai godi ofn ar hyd yn oed y caleta yng Nghwmderi. Caffaeliad oedd gallu castio Victoria Plucknett i'r gyfres; pryder oedd ceisio chwilio am Emma. Roedd y cymeriad yn gymhleth – yn her i unrhyw actores ifanc. Roeddwn i am ddod o hyd i wyneb newydd ond roedd amser yn mynd yn brinnach wrth i mi ddal i chwilio am Emma. Byddai'r cymeriad yn ymddangos ar y sgrin o ganol

Jason, Diane ac Emma

Ionawr 1998 ac roedd partïon Nadolig 1997 wedi hen ddechrau. Ychydig ddyddiau cyn diwedd tymor yr ysgol oedd hi pan gerddes i mewn i ystafell ddosbarth yn Ysgol Maes yr Yrfa, Cefneithin i gyfarfod criw o ferched roedd Delyth Nicholas, athrawes ddrama'r ysgol, wedi eu hargymell ar gyfer y rhan. Yno y gwnes i gyfarfod â Catrin Arwel am y tro cynta ac o'r funud y clywais i hi'n darllen llinell agoriadol golygfa gynta Emma a Diane mi o'n i'n gwbod nad oedd rhaid i mi chwilio dim pellach. Mi roedd teulu newydd Reg Harries yn mynd i ysgwyd y gyfres ac yn mynd i roi bywyd newydd i gymeriad oedd wedi bod yn chwilio am gyfeiriad ers rhai blynyddoedd. Rai misoedd yn ddiweddarach cyrhaeddodd Jason i gwblhau'r teulu newydd cymhleth hwn.

Mark Jones

Yn hapus fod y teulu caled bellach wedi ymgartrefu yn y cwm, roeddwn i'n barod i symud ymlaen ac i drosglwyddo'r awenau i gynhyrchydd newydd oedd yn siŵr o fod yn llawn syniadau am deulu newydd fyddai'n nodi ei gyfnod ef neu hi wrth y llyw.

Ond dim ond un rhan o'r gwaith oedd cael arwain a chydweithio efo'r storïwyr a'r golygyddion sgriptiau i greu cymeriadau a chyfeiriadau newydd. Y gwaith mwya a lleia pleserus oedd ceisio sicrhau fod y cynhyrchiad yn rhedeg yn llyfn o ddydd i ddydd a bod y rhaglenni yn cyrraedd yr awyr am saith o'r gloch bob nos. Yn y cyfnod pan o'n i wrth y llyw roedd y rhaglenni yn cael eu recordio yn ystod yr wythnos roeddan nhw'n cael eu darlledu – golygai hynny fod pennod nos Lun wastad yn cael ei recordio a'i darlledu ar yr un diwrnod. Mae gan bawb eu stori am sut y bu bron i'r rhaglen beidio â chael ei gorffen mewn pryd a thydw i ddim gwahanol. Profiad digon brawychus oedd f'un i. Roeddwn i'n eistedd yn yr ystafell olygu un prynhawn Llun pan ddywedodd Ken Jones, y golygydd fideo, wrtha i ei fod o'n cael problem – roedd y tâp yn gwrthod troi. Doedd hynny'n golygu fawr ddim i mi ond mi allwn i ddweud oddi wrth wyneb Ken ei fod o'n bryderus iawn am y sefyllfa. Galwyd ar dechnegydd ac aeth hwnnw i fol y peiriant fideo. Roedd y peiriant wedi cnoi'r tâp efo holl olygfeydd stiwdio'r diwrnod hwnnw arno fo. "What can you do about it?" oedd y cwestiwn twp cynta i mi ei holi. "I don't know," oedd yr ateb, "but it looks pretty hopeless from where I'm standing." Panic ac ambell i reg. Roedd hi'n bedwar o'r gloch a doedd gynnon ni ddim byd i'w ddarlledu. Drwy lwc llwyddodd y technegydd hynaws i achub y rhan fwya o'r tâp ond roedd o leia dwy olygfa wedi eu colli'n llwyr – golygfeydd allweddol i'r plot hefyd fel roedd hi'n digwydd bod! Doedd dim dewis – rhaid oedd ailffilmio'r ddwy olygfa a hynny ar frys. Yn anffodus, roedd cast y golygfeydd wedi gorffen am y diwrnod ac wedi mynd adre. Llwyddwyd gyda chryn drafferth i gael gafael arnyn nhw yn y diwedd ac erbyn pump o'r gloch roeddan nhw'n ôl yn y stiwdio yn recordio'r golygfeydd unwaith eto. Erbyn pum munud i saith roedd y rhaglen yn barod ac erbyn saith

Diane

roedd y gynulleidfa yn mwynhau'r bennod heb hyd yn oed wybod pa mor agos ddaeth hi at i ni fethu, ac nid am y tro cynta, â chael rhaglen yn barod.

Ond nid dyna'r unig greisis i mi orfod ei wynebu yng Nghwmderi. Mis Awst 1997 oedd hi ac yn y stori roedd Mark Jones newydd gyfarfod â Meinir. Er mwyn ceisio creu argraff arni, penderfynodd Mark fynd â hi allan am y diwrnod i'r rasus ceffylau yng Nghasgwent. Roedd edrych ymlaen mawr at y ffilmio gan ein bod ni'n mynd i gyfarfod rasio go iawn oedd yn digwydd ar brynhawn Sul cynta Awst. Yn digwydd bod, roeddwn i wedi mynd i aros efo ffrindiau yn Poole, Dorset ond am rhyw reswm doeddwn i ddim yn teimlo'n gwbl esmwyth ynglŷn â pheidio mynd i weld y ffilmio, a hynny er gwaetha'r ffaith mai Allan Cook, un o gyfarwyddwyr mwya profiadol y gyfres, oedd wrth y llyw y diwrnod hwnnw. Gadewais Poole yn gynnar ac wrth i mi ddod yn nes at Gymru roedd glaw trwm Awst yn arllwys i lawr. Pan gyrhaeddais Casgwent roedd y criw newydd gyrraedd ac yn paratoi i ffilmio rhwng y cawodydd. Recordiwyd yr olygfa gynta; roedd y lluniau'n berffaith ond yn anffodus doedd dim sain. Dyma ailrecordio ond yr un oedd y canlyniad – dim sain. Roedd dŵr wedi mynd i'r camera a doedd dim modd ei drwsio yn y fan a'r lle. Cysylltwyd â'r swyddfa yng Nghaerdydd. Newyddion drwg – roedd holl adnoddau BBC Cymru yn y Bala ar gyfer y steddfod. Doedd dim camera sbâr o fewn cyrraedd i Gasgwent. Beth ddiawl oeddan ni'n mynd i neud rwan? Roedd y bennod yn cael ei darlledu ar y nos Fercher ganlynol a doedd dim rasus yng Nghasgwent am o leia bythefnos arall! Doedd dim dewis, rhaid oedd ail-sgrifennu'r stori a hynny ar frys. Wrth i'r criw ddechrau pacio, "What are you doing here?" meddai llais o'r tu ôl i mi. Mark Unsworth, gŵr un o gynorthwywyr cynhyrchu *Pobol y Cwm* a thad Lydia, sydd bellach yn actio Mai, merch Cassie. Drwy lwc a bendith roedd Mark yn gweithio ar ochr adnoddau BBC Bryste ar y pryd ac awr yn ddiweddarach cyrhaeddodd camera ar fenthyg oddi yno. Mynd i'r rasus wnaeth Mark a Meinir ac unwaith eto doedd y gynulleidfa ddim callach o ba mor agos ddaethon nhw at weld Mark a Meinir mewn casino yng Nghaerdydd!

Ond weithiau, ailysgrifennu oedd yr unig ddewis. Ym mis Awst 1998 roedd stori fawr ar ddigwydd wrth i Emma ddarganfod mai ei modryb, yn hytrach na'i mam, oedd Diane. Yn anffodus cafodd Victoria Plucknett ddamwain a rhaid oedd i Diane ddiflannu am ychydig wythnosau. Roedd hi'n rhy hwyr i newid y stori'n llwyr felly aeth Diane i aros at ei chwaer oherwydd ei bod yn methu â wynebu Emma a hynny gan adael i'w brawd Terry, tad go iawn Emma, i egluro'r cwbl wrthi. Clod i'r holl griw sy'n gweithio ar y rhaglen oedd i hyn i gyd ddigwydd tra o'n i ar wyliau yn yr Eidal ac i'r cwbl gael ei ailysgrifennu erbyn i mi gyrraedd yn ôl i Gaerdydd. A dyna pryd mae'r rhaglen ar ei gora, pan mae'r holl dîm yn tynnu gyda'i gilydd.

Troeon Trwstan

Pan oedd Hywel Llywelyn (Andrew Teilo) a Stacey Jones (Shelley Rees) newydd briodi, a Hywel yn ysu am ddangos bywyd gwell i Stacey na'r bywyd roedd hi'n gyfarwydd ag o ym Maes-y-Deri, penderfynodd Hywel drefnu penwythnos o wyliau yn syrpreis i'w wraig newydd. Roedd y ddau i aros mewn gwesty moethus a chael cyfle i fynd i farchogaeth ar y prynhawn Sadwrn cyn ymlacio ym mhwll nofio'r gwesty wedyn. Stori dda, ond unwaith aeth y sgriptiau allan i'r actorion daeth tipyn o broblem i'r amlwg – roedd gan Andrew Teilo alergedd at geffylau ac ni fyddai unrhyw fodd o saethu golygfeydd o Hywel a Stacey yn marchogaeth. Dim problem. Aethpwyd ati i ailwampio'r stori ar unwaith a chafodd Hywel y pleser o gyflwyno Stacey i ragoriaethau chwarae golff. Roedd y stori'n dal i weithio'n berffaith wrth i Hywel gael y cyfle i ddangos profiadau newydd i Stacey oedd y tu hwnt i'w hen fyd gyda Kath, Dyff a Mark. Yn anffodus anghofiwyd sôn wrth yr is-deitlwyr am y newid i'r stori a chafodd sawl gwyliwr di-Gymraeg eu cymhlethu'n llwyr wrth ddilyn y bennod honno. Wrth i Stacey fwrw ei phêl, dal i sôn am gyfrwy a charlamu oedd yr is-deitlau!

Wrth ffilmio golygfa hir yn y Deri Arms, roedd dau actor yn disgwyl am yr arwydd i gerdded i mewn i'r set ar gyfer eu rhan hwy o'r olygfa. Wrth aros sylwodd un o'r ddau fod hoelen yn sticio allan o gefn y set a phenderfynu ei bod hi'n beryglus. Yn hytrach nac aros tan ddiwedd yr olygfa a dweud wrth un o'r criw, penderfynodd mai'r peth calla fyddai tynnu'r hoelen o'i lle tra'r oedd yn disgwyl mynd i mewn i'r Deri. Wrth i'r actorion eraill fynd trwy'u llinellau wrth y bar, tynnodd yr hoelen a chlywodd floedd oddi ar y set a phopeth yn mynd o chwith gyda'r olygfa. Roedd yr hoelen yn dal un o'r *brasses* oedd yn addurno'r set ac roedd darn wedi disgyn ar ben un o'r cymeriadau wrth i'r hoelen gael ei thynnu o'i lle!

Yn aml iawn mae actorion *Pobol y Cwm* yn gorfod brwydro drwy salwch i ymddangos yn y rhaglen. Mewn amserlen dynn, does fawr o le i fod yn sâl. Erbyn heddiw mae peth hyblygrwydd gan fod y rhaglen yn cael ei recordio rai wythnosau cyn ei darlledu, ond bymtheg mlynedd yn ôl pan oedd y rhaglen yn cael ei recordio ar ddiwrnod y darlledu doedd dim hyblygrwydd o gwbl. Un bore llewygodd un o'r cast rhwng dwy olygfa a rhaid oedd ei sgrifennu allan o weddill y bennod a golygfeydd y diwrnod. Drannoeth roedd yr actor wedi dod at ei hun yn iawn ac yn ôl wrth ei waith. Ond nid felly oedd hi bob tro.

Roedd chwech wythnos i fynd tan ddiwedd y gyfres ac un o'r straeon hafaidd, ysgafn y flwyddyn honno oedd Maggie Post yn dechrau derbyn llythyrau cadwyn – roedd yn naturiol lot o sbort yn y stori wrth i Maggie gymryd y peth o ddifri ac iddi ddechrau anfon y llythyrau ymlaen, ond roedd i'r stori neges hefyd am yr effaith mae llythyrau o'r fath yn gallu ei gael ar rai aelodau o'r gymdeithas wrth iddyn nhw gael eu dychryn a'u hysgogi nid yn unig i anfon llythyrau ymlaen ond hefyd i anfon arian ac ati. Roedd *Pobol y Cwm* tua dwy neu dair pennod i mewn i'r stori pan gafodd Harriet Lewis drawiad difrifol ar y galon ar ei ffordd gartre o'r gwaith un noson. Byddai Harriet yn yr ysbyty am rai wythnosau a doedd dim sicrwydd y byddai hi'n gallu dod yn ôl i'r gwaith wedyn. Rhaid oedd ailwampio'r

Eileen

stori dros nos a'i throsglwyddo i un o gymeriadau eraill Cwmderi. Meira gariodd y stori yn y diwedd ond doedd neb oedd yn gorfod mynd ati i newid yr holl stori'n cwyno dim – beth oedd ailysgrifennu stori o'i gymharu â Harriet yn ymladd am ei bywyd? Diolch i'r drefn daeth Harriet drwyddi a daeth Maggie Post yn ôl am sawl ymweliad â Chwmderi wedi hynny a sylwodd neb ar y newid cyfeiriad sydyn ynghanol y stori llythyrau cadwyn.

Chwefror 1998 ac roedd angladd Gina'n cael ei ffilmio yn dilyn ymadawiad Catrin Fychan o'r gyfres. Roedd hi'n bwysig cael holl aelodau teulu Gina yno er mwyn cyfleu realaeth y sefyllfa ond yn anffodus oherwydd newid munud olaf yn y drefn recordio nid oedd modd i Sera Cracroft (Eileen) a Steffan Rhodri (Jon) fod ar gael i ffilmio ar yr un pryd. Ffilmiwyd gwahanol rannau o'r angladd ar ddyddiau gwahanol a ni ymddangosodd Jon ac Eileen gyda'i gilydd yn y bennod o gwbl, ond diolch i waith celfydd Robin Davies-Rollinson, cyfarwyddwr y bennod, ni wnaeth neb sylwi nad oedd y ddau gyda'i gilydd!

Pan foddwyd Llew (Rhys Parry Jones) mewn damwain ar ôl i'w gar ddisgyn i'r afon yn 2001 roedd y criw yn falch iawn ei bod hi'n dywydd sych gan fod hynny'n gwneud y ffilmio lawer iawn yn haws. Peiriannau oedd yn gyfrifol am y glaw trwm oedd i'w weld ar y sgrin a braf oedd cael dewis ble'n union roedd y dagrau'n disgyn am unwaith! Ni fu'r cast na'r criw yn agos at unrhyw afon chwaith wrth ffilmio'r golygfeydd o'r tacsi yn y llif – ffilmiwyd y cwbl mewn tanc gweddol fas oedd wedi ei godi'n arbennig ar gyfer y stori yn un o stiwdios y BBC yn Llandâf. Un noson roedd y tanc yn gartref i'r Deri Arms wrth i Diane (Victoria Plucknett) a Sara (Helen Rosser Davies) geisio atal y llif rhag boddi'r dafarn a'r noson wedyn roedd y tanc wedi ei droi'n afon gyda char ynddi. Dim ond rhwng y pen-glin a'r canol roedd y dŵr yn cyrraedd ond gydag ambell i dric camera llwyddwyd i wneud i'r cyfan edrych yn llawer iawn mwy real.

Llew

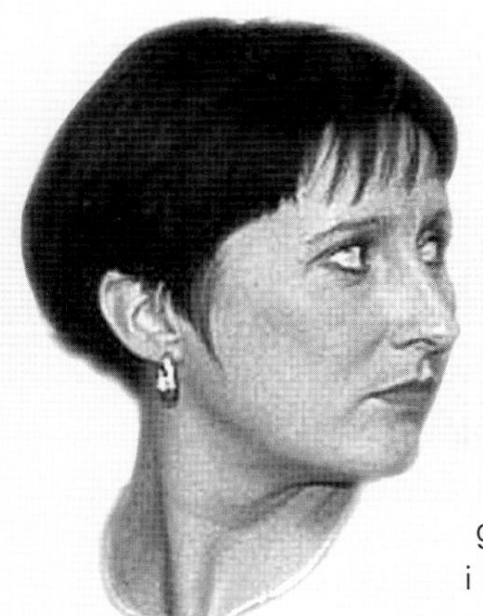

Wrth weithio ar sebon mae hi'n bwysig cadw trywydd y stori'n gyfrinachol a hynny'n bennaf er mwyn cadw chwilfrydedd y gwyliwr, ond ambell waith mae hynny'n gallu bod yn anodd. Yn 1995 roedd Rod (Geraint Owen) a Gina (Catrin Fychan) wedi gwahanu a Rod yn cynllunio i ddwyn Gwen oddi wrth ei mam. Er mwyn gwneud hynny aeth Rod ati i esgus ei fod eisiau ailafael ar ei berthynas gyda Gina. Trefnodd i fynd â hi a Gwen i ffwrdd am y penwythnos i aros mewn gwesty moethus ar gyrion Caerdydd. Tra'r oedd Gina'n cael prynhawn o ymlacio yn y pwll nofio a'r sauna, roedd Rod am edrych ar ôl Gwen. Yn ddiarwybod i Gina, rhuthrodd Rod gyda Gwen i'r maes awyr a hedfan allan o'r wlad gyda hi. Roedd hi'n brynhawn Sadwrn a'r criw ffilmio wedi cyrraedd Maes Awyr Caerdydd i ffilmio'r golygfeydd. Aeth popeth yn ddigon hwylus a'r cyhoedd naill ai'n anwybyddu'r criw neu'n gwylio'r ffilmio gyda diddordeb. Wrth i Rod fynd â Gwen at y giât meddai un o'r merched oedd yn gwylio'r ffilmio wrth ei ffrind, *"Look, he must be kidnapping the little girl! There's no sign of Gina!"* Roedd y wylwraig wedi dyfalu'r stori – diolch i'r drefn ei bod hi'n mynd ar ei gwyliau!

Roedd y Griffithses yng nghanol argyfwng. Melanie (Elin Jones) wedi dod o hyd i gariad newydd a Ieuan (Iestyn Jones) yn ei gasáu. Tensiwn rhwng y ddau; Lauren (Elan Isaac) yn flin oherwydd y ffraeo diddiwedd rhwng ei chwaer a'i thad a Hazel (Jennifer Lewis) druan, fel arfer, wedi ei dal yn y canol.

Diwrnod anodd o ffilmio i'r teulu cyfan felly, a gan fod y ddwy actores ifanc oedd yn portreadu Elin a Lauren dan 16 oed, roedd yr oriau gwaith yn cael eu cyfyngu. Mynd ati i saethu'r golygfeydd mor gyflym â phosib er mwyn sicrhau fod wyth golygfa'r diwrnod wedi eu cwblhau mewn pryd. Roedd deunydd anodd i'w wneud – yn arbennig golygfa rhwng Ieuan a Melanie ble'r oedd Ieuan yn gwylltio ac yn rhoi cefn llaw i'w ferch yn ei dymer. Popeth yn mynd yn dda a pum golygfa wedi eu cwblhau erbyn amser cinio. Wrth edrych dros y sgriptiau tra'n bwyta, sylweddoli fod camgymeriad erchyll wedi ei wneud. Roedd Melanie a Lauren wedi gwisgo gwisg ysgol yn eu golygfeydd ac roedd y penodau'n cael eu darlledu yn ystod hanner tymor! Un peth yw plygu ambell i wirionedd ar gyfer y teledu ond fyddai pobl byth yn derbyn fod ysgolion ardal Cwmderi ar agor tra'r oedd pob ysgol arall yng Nghymru ar gau. Doedd dim dewis ond ailffilmio'r cyfan mewn gwisgoedd eraill, a hynny ar ras wyllt.

A nid dyma'r unig dro i wyliau ysgol dwyllo'r cynhyrchiad chwaith. Pan oedd Beth a Hywel yn gyd-athrawon yn Ysgol Gynradd Cwmderi, ffilmiwyd golygfa yn iard yr ysgol gyda degau o blant yn chwarae'n hapus o'u cwmpas. Sylweddoli'n sydyn, er fod ysgolion ardal Caerdydd ar agor, fod ysgolion Dyfed ar wyliau'r wythnos honno. Gorfod ailffilmio'r olygfa ar stryd dawel gyda Beth a Hywel yn digwydd taro ar ei gilydd!

Uchod: Hazel a Ieuan Griffiths

WYDDOCH CHI?

Dyma rai ffeithiau diddorol am Pobol y Cwm. Efallai eich bod eisoes yn gwybod rhai ohonyn nhw – gobeithio y bydd eraill yn newydd i chi!

1 Mae'r canlynol wedi chwarae sawl rhan yn y gyfres

Buddug Williams

Ers sawl blwyddyn bellach mae Buddug Williams yn adnabyddus i wylwyr *Pobol y Cwm* fel Anti Marian. Daeth i Gwmderi wedi i bethau fynd o chwith i Denzil, ac ers iddi golli Bob, ei gŵr, mae hi wedi ymgartrefu yn y siop gyda'i nai. Ond roedd Buddug yn aelod o gast gwreiddiol y gyfres yn 1974 hefyd. Pryd hynny hi oedd yn actio Bet Harries, mam Reg, Wayne a Sabrina. Bet oedd y cymeriad cynta i farw yng Nghwmderi.

Iris Jones

Mae Iris Jones bellach yn adnabyddus i bawb fel Beryl Tushingham, mam Cassie, nain Steffan a Mai, a hen-nain Hannah. Ond yn y 70au roedd Iris yn actio rhan Sister MacGregor, dirprwy fetron Brynawelon oedd yn mynd i briodi Harri Parri. Mae'n debyg i Iris gael menthyg peth o emwaith Elizabeth Taylor ar gyfer priodas ei chymeriad gan fod Sian Owen, nith Richard Burton, yn aelod o'r cast ar y pryd. Yn y diwedd ni briododd Sister MacGregor a Harri, a gadawodd y Sister i weithio yn ardal Aberystwyth. Yn 1997 dychwelodd Iris fel Beryl gan briodi David Tushingham – un o drigolion Brynawelon pan oedd hi'n Sister MacGregor!

Margaret Williams

Yn yr 1980au roedd Margaret Williams yn actio rhan Beti Griffith – un o gymeriadau canolog y gyfres. Roedd Beti yn brifathrawes ysgol gynradd Cwmderi ac yn cyd-weithio gyda chymeriadau megis Beth Leyshon. Roedd Beti hefyd yn berchen ar fferm a hi oedd cyflogwraig gyntaf Dic Deryn yn y pentref ond aeth pethau o chwith rhwng y ddau wrth i Dic ddechrau caru gyda'i merch. Yn 2000 dychwelodd Margaret i Gwmderi fel Heti, chwaer Beryl. Doedd y ddwy chwaer ddim wedi siarad ers blynyddoedd oherwydd ffrae deuluol a daeth Heti draw i Gymru er mwyn ceisio cymodi cyn iddi fynd yn rhy hwyr.

Nia Caron

Heddiw mae pawb yn adnabod Nia Caron fel Anita, cyd-berchenog y Deri, partner Meic, mam Darren a Dwayne a mam-gu Wil Bach, ond yn 1990 roedd Nia yn actio rhan pur wahanol er fod gan ei chymeriad bryd hynny hefyd gysylltiad agos iawn â'r Deri Arms. Er mawr sioc i Reg a Megan daeth dynes ddierth o'r enw Jane Leonard i aros i'r Deri a daeth i'r amlwg mai hi oedd mam naturiol Gareth Wyn. Roedd Megan wedi mabwysiadu Gareth pan oedd yn fabi. Er mawr siom i Megan eglurodd Jane wrth Gareth pwy oedd hi, ond ychydig iawn o gysylltiad fu rhwng y ddau wedi'r cyfarfyddiad cyntaf hwnnw.

Toni Caroll

Fel Olwen Parry, mam Karen a chyn-berchennog y siop, mae'r rhan fwya ohonon ni'n cofio Toni yn y gyfres ond fe ymddangosodd mewn ychydig o benodau yn yr 1980au hefyd. Roedd Meic ac Edgar Sutton yn chwilio am fusnes newydd a phenderfynodd Meic mai bod yn reolwyr ar *kissogram* fyddai'n fuddiol iddyn nhw. Toni Caroll oedd yn actio rhan Denise, un o'u *kissograms* rheolaidd, ond yn y diwedd gadawodd Denise y pentref gyda Kevin, gŵr cyntaf Doreen Bevan. Yn rhyfedd iawn Doreen oedd un o ffrindiau gorau Olwen pan ddaeth Toni yn ôl i'r gyfres!

Hywel Emrys

Daeth Derek i Gwmderi yn sgil Mrs McGurk ac mae wedi ymgartrefu yn y pentref ers blynyddoedd bellach ond yn gynnar yn yr 80au roedd Hywel yn actio rhan fechan arall yn y gyfres fel lleidr defaid. Roedd yn helpu i ddwyn defaid o Deri Fawr, fferm Stan a Sylvia Bevan a chafodd ei arestio gan Sarjant Glyn James. Yn ei ddyddiau cynnar yn y gyfres roedd Derek hefyd yn cael ei arestio gan Sarjant Glyn James am amrywiol droseddau gan gynnwys dwyn walet Ken Coslett o'r Deri.

2 Mae'r cymeriadau canlynol wedi cael eu chwarae gan fwy nac un actor

Gareth Wyn

Mae Gareth Wyn wedi cael sawl ymgnawdoliad wrth iddo dyfu ac aeddfedu. Yn sicr yr wyneb enwocaf i chwarae rhan Gareth yw Ioan Gruffudd a adawodd Cwmderi wedi iddo gael cynnig gwneud *Poldark* yr un pryd â *Pobol y Cwm*. Wedi i Ioan adael Rhodri Miles sydd wedi bod yn chwarae rhan Gareth – cymeriad sydd wedi bod yn mynd a dod o Gwmderi dros y blynyddoedd. Y tro diwethaf iddo ymweld â'r pentref oedd yn 2002 ar gyfer angladd Reg.

Rhian Haf

Fel cymeriad ei brawd mae Rhian wedi cael ei chwarae gan nifer o actoresau wrth iddi dyfu – Rhian Samuel, Gemma Jones a Catherine Jones i enwi dim ond rhai. Ers 1997 Debbie Moon sydd wedi bod yn chwarae'r rhan a hynny wrth i'r cymeriad ddod yn un o gymeriadau sefydlog y gyfres. Mae'r cymeriad wedi bod trwy'r felin ers hynny wrth iddi geisio lladd ei hun, cael perthynas gyda Llew a cholli ei thad. Gadawodd Rhian yn 2004 i fynd i deithio o amgylch y byd ac i Debbie adael i gael babi.

Diane

Anodd credu, ond mae dwy actores wedi chwarae rhan Diane, a hynny oherwydd i Victoria Plucknett orfod cael amser i wella wedi iddi gael damwain. Yn ystod absenoldeb Victoria bu Eluned Jones yn chwarae rhan Diane am rai wythnosau a hi oedd yn actio Diane pan briododd gyda Reg. Wrth gwrs, Victoria Plucknett sydd yn y lluniau priodas i gyd erbyn hyn gan iddyn nhw gael eu haildynnu unwaith iddi wella a dod yn ôl i'r gyfres.

3 Dyma rai o'r cymeriadau/actorion sydd wedi bod yn y gyfres hiraf

Sabrina/Gillian Elisa

Sabrina yw'r unig aelod o'r cast gwreiddiol sydd ar ôl yn y gyfres bellach ond, wrth gwrs, nid yw hi wedi bod yng Nghwmderi am y 30 mlynedd cyfan. Aeth Sab i fyw i Fryste gyda Jac a Robert Dilwyn am flynyddoedd gan ddychwelyd i Gwmderi yn 2000 wedi i'w phriodas chwalu ac i Robert fynd i'r coleg. Mae'r ffaith fod Sab yn y gyfres yn sicrhau fod cysylltiad uniongyrchol gydag 1974 yn dal i fod.

Meic/Gareth Lewis

Fel Sabrina, mae Meic wedi bod o gwmpas Cwmderi ers y 70au. Ond fel Gillian Elisa, cafodd Gareth Lewis hefyd saib o'r gyfres wrth i Meic ddychwelyd i Sir Fôn ar ôl i Olwen dorri ei galon.

Denzil/Gwyn Elfyn
Denzil yw'r cymeriad presennol sydd wedi bod yn y gyfres hiraf. Daeth i'r cwm ar ddechrau'r '80au pan gafodd swydd fel gwas Stan Bevan yn Deri Fawr. Ers hynny mae'r cymeriad wedi bod yn y gyfres yn ddi-dor ac yn dal i fod yng nghanol pethau wrth iddo redeg Siop y Pentref a bod yn aelod brwd o bwyllgor Clwb Rygbi Cwmderi.

Reg/Huw Ceredig
Reg yw'r cymeriad fu yn y gyfres hiraf. Roedd yno o 1974 tan iddo farw yn 2003 yn sgil trawiad ar y galon. Roedd amheuaeth ar y dechrau nad oedd Reg wedi marw o achosion naturiol ond pan ddaeth i'r amlwg mai Sabrina oedd y person ola i'w weld yn fyw, pylu wnaeth yr amheuaeth am achos ei farwolaeth.

4 Rhai o brif leoliadau'r gyfres

Y Deri Arms
Mae bar ac ystafell fyw y Deri yn ran o'r set yn stiwdio C1 BBC Cymru yn Llandâf ond mae tu allan y dafarn, bwyty Cegin Anita a'r ystafelloedd gwely yn cael eu ffilmio ar leoliad. Y *Sportman's Rest* yn Llandbedr-y-Fro, rhyw bum milltir o Gaerdydd yw'r Deri Arms go iawn a bydd y criw yn mynd yno'n aml i ffilmio golygfeydd o amgylch y dafarn.

39 Maes-y-Deri
Dyma gartref Jason a Diane a chyn-gartref y Joneses. Unwaith eto fe leolir ystafell fyw a chegin y tŷ yn y stiwidio ond ar stad yn ardal Gabalfa o Gaerdydd y ffilmir y tu allan i'w cartref a'r ystafelloedd gwely.

Bragdy Cic Mul
Bragdy bychan yng Nghaerdydd yw cartref Cic Mul mewn gwirionedd ac mae'r holl offer gwneud cwrw a welir ar y sgrin yn offer bragu go iawn. Bydd *Pobol y Cwm* yn ffilmio yno tu allan i oriau gwaith y bragwyr er mwyn sicrhau nad ydi'r gyfres yn amharu ar eu busnes.

Stryd Fawr Cwmderi
Set wedi ei hadeiladu'n arbennig ar gyfer y gyfres yw'r Stryd Fawr bellach. Cafodd ei defnyddio am y tro cyntaf ym mis Hydref 1996 a'r cymeriadau Nia (Meleri Evans) ac Alun (Arwel Davies) oedd y ddau gymeriad cyntaf i droedio'r palmentydd. Mae rhai o adeiladau'r stryd (Siop Arthur a'r Hen Orsaf) wedi eu cynllunio ar lefydd go iawn. Cyn 1996 dim ond y tu allan i'r siop, y caffi a chartref y Monks oedd yn rhan o set *Pobol y Cwm* gyda gweddill y Stryd Fawr yn cael ei ffilmio mewn pentrefi o amgylch Caerdydd.

Ysgol y Mynach
Un o leoliadau poblogaidd Cwmderi yw Ysgol y Mynach ac mae nifer fawr o gymeriadau'r gyfres wedi bod yno naill ai fel athrawon (Hywel, Cai, Bethan, Alison, Hughes) neu fel disgyblion (Stacey, Macs, Iolo, Elin, Lauren, Nia, Barry John). Cafodd ambell gymeriad arall gysylltiad agos â'r ysgol hefyd; roedd Hazel yn un o lywodraethwyr yr ysgol a chafodd Dyff waith fel glanhawr ffenestri yno! Ffilmir holl olygfeydd yr ysgol dafliad carreg o bencadlys BBC Cymru yn Ysgol Gyfun Glantâf ac mae nifer o ddisgyblion yr ysgol wedi bod yn nosbarthiadau Hywel, Cai a Bethan! Ym mhentref Gwaelod-y-Garth y ffilmiwyd golygfeydd Ysgol Gynradd Cwmderi pan oedd Beth yn brifathrawes a Megan yn un o lywodraethwyr yr ysgol.

ORIEL Y CWM

Cymeriadau ddoe a heddiw

Cast *Pobol y Cwm* yn dathlu penblwydd y gyfres yn 30 mlwydd oed

Julie a Sheryl Hughes, a Sabrina Daniels

Bella

Stan Bevan

Doreen Bevan

T.L., y Parch Eleri Evans,
Linda a Ken Coslett, a Jacob Ellis

Derek

Gill a Brian

Sean a Mrs McGurk yn ymarfer

Mrs McGurk a Glan

Cai, Sheryl, Macs, Emma a Darren

Y dudalen hon, gyda'r cloc:
Brandon Monk, Garry Monk, Britt Monk

Y dudalen gyferbyn, gyda'r cloc:
Nia ac Alun, Anti Marian a Denzil, Steffan

SHOPPER

Darren, Sheryl, Wil Bach,
Anita a Meic

Y dudalen gyferbyn:
Emyr, Dwayne,
a Emma Francis

Maffia'r Cwm –
Stacey, Mark a Kath Jones

CAFFI'R
CWM

Sara Francis

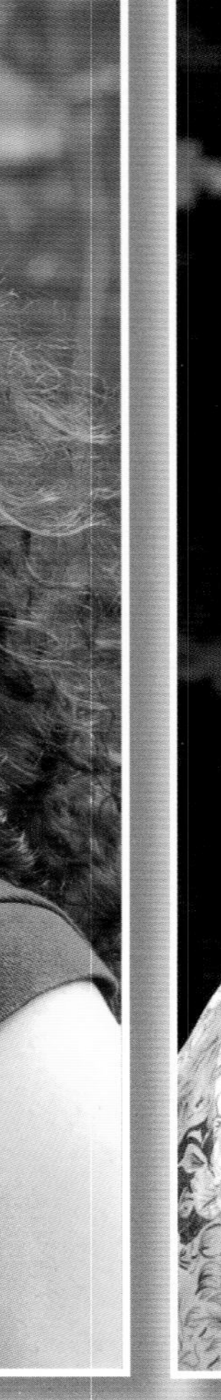

Cai Rossiter

Julie Hughes

Darren

Britt Monk a Gwyneth Jones

Jason ac Emma

10 FFAITH AM POBOL Y CWM

1 Darlledwyd y bennod gyntaf erioed ar nos Fercher, 16 Hydref 1974 am ddeg munud wedi saith ar BBC 1 Wales. Dyma oedd disgrifiad y *Radio Times* o'r gyfres: "Pentre yn Ne Cymru yw Cwmderi, a heno am y tro cynta, byddwn yn cyfarfod â rhai o'r trigolion. O hyn ymlaen byddwn yn taro mewn yn wythnosol i ddilyn hynt a helynt *Pobol y Cwm*."

2 Yn y 1970au roedd *Pobol y Cwm* yn cael ei darlledu ganol y prynhawn ar BBC1 yn Lloegr, a hynny heb unrhyw is-deitlau.

3 Dechreuodd y gyfres gael ei darlledu'n nosweithiol ym mis Medi 1988 gyda'r gyfres yn rhedeg o Fedi tan Fehefin. I ddathlu'r achlysur ymddangosodd Huw Ceredig (Reg), Rachel Thomas (Bella) a Catherine Tregenna (Kirstie) ar raglen *Wogan* ar BBC1.

4 Yn 1996 y darlledwyd *Pobol y Cwm* trwy'r haf am y tro cyntaf. Rhaid oedd addasu'r diwedd dramatig oedd wedi ei gynllunio ar gyfer y flwyddyn honno gan nad oedd y gwylwyr yn mynd i orfod aros chwech wythnos i weld beth ddigwyddodd wedi i Sharon (Sian Naiomi) gael ei chwythu i fyny mewn car wedi ei ddwyn.

5 Yn 2001 y cafodd y gyfres ei darlledu'n ddi-dor am 52 wythnos y flwyddyn am y tro cyntaf. Cyn hynny doedd dim rhaglenni yn ystod wythnos y Nadolig heblaw am bennod estynedig ar ddiwrnod Nadolig ei hun.

6 Ar ddechrau'r naw-degau cafodd rhan o'r gyfres ddyddiol gyntaf ei darlledu ar rwydwaith NOS TV3 yn yr Iseldiroedd. Darlledwyd tua hanner cant o benodau i gyd.

7 Yn 1994 cafodd y gyfres ei darlledu drwy Brydain ar BBC2 am gyfnod arbrofol. Roedd y pum pennod nosweithiol yn cael eu hailolygu i dair pennod hanner awr.

8 Cyn i *Pobol y Cwm* gael ei darlledu ar BBC2 llwyddodd i gael sylw ar dudalenau'r cylchgrawn *Inside Soap*. Dyma oedd gan beibl pob gwyliwr sebon i'w ddweud am Gwmderi: *"19-year-old Welsh sudster Pobol y Cwm is finally going to get its big break. The events of the village of Cwmderi will be seen throughout Britain from January next year. For a 3-month trial period, viewers will have a chance to catch up on all the gossip from the Deri Arms that has kept Welsh viewers on the edge of their seats for nearly two decades. And prepare to get addicted! Recent storylines have included a headmistress/teacher affair, cot death, abortion, murder and toxic waste dumping!"*

9 Yn y 90au cynnar fe gyhoeddodd yr Archdderwydd Robyn Lewis gyfrol o'r enw *Blas ar Iaith Cwmderi* fel llawlyfr i helpu'r gwylwyr i ddeall yr amrwyiol dafodieithoedd sydd i'w clywed yng Nghwmderi.

10 Cafodd record sengl, *Ar y Bla'n*, ei rhyddhau gan Glwb Pêl-droed Cwmderi er mwyn codi arian at achosion da ledled Cymru. Roedd y clwb pêl-droed yn arfer ymweld â nifer o bentrefi ar hyd a lled y wlad pob haf er mwyn codi arian at elusennau lleol. Chwaraeodd y clwb nid yn unig yn erbyn pentrefi Cymru ond hefyd yn erbyn rhai o sebonau Lloegr megis *East Enders* a

Coronation Street, ond efallai mai eu gêm enwocaf yw'r gêm yn erbyn tîm Bryn Coch o'r gyfres *C'mon Midffîld* a gynhaliwyd yn ystod Eisteddfod Genedlaethol yr Urdd, Dyffryn Nantlle yn 1990. Bellach trodd y clwb pêl-droed yn glwb criced.

Tîm criced Pobol y Cwm

HOLI'R ACTORION

Donna Edwards

Britt Monk

man geni	Merthyr Tudful
ysgol gynradd	Ysgol y Graig
hoff fwyd	Pysgod
hoff gân	Caneuon Bonnie Raitt
yn ei edmygu fwyaf	Nelson Mandela, Bob Geldof a'r Fam Teresa
gwyliau delfrydol	Ynysoedd y Caribi
hoff lyfr neu ffilm	*The Unbearable Lightness of Being*
diddordebau	Plant a'r dyddiadur
offeryn	Y piano – yn wael!
gwaith blaenorol	Perchen caffi, landledi, a gwaith gofal

Andrew Teilo

Hywel Llewelyn

man geni	Caerfyrddin
ysgol gynradd	Ysgol Ffair-fach
hoff fwyd	Eidalaidd, Thai, Cymreig
hoff gân	'Debaser' gan y Pixies
yn ei edmygu fwyaf	Yr holl bobol neis sy'n gweithio gyda phlant ac anifeiliad yn y trydydd byd
gwyliau delfrydol	Lithuania
hoff lyfr neu ffilm	Ar hyn o bryd *East is East* neu *The Usual Suspects*
diddordebau	Archaeoleg, ysgrifennu, ffilmiau, a hanes
offeryn	Gitâr, bas, dryms
gwaith blaenorol	Argraffydd

Rhys ap Hywel

Jason Francis

man geni	Aberystwyth
ysgol gynradd	Brynherbert
hoff fwyd	Chili a reis
hoff gân	'Good Times Bad Times' gan Led Zeppelin
yn ei edmygu fwyaf	John Bonham
gwyliau delfrydol	Penwythnos yn Amsterdam
hoff lyfr neu ffilm	*Little Big Man*
diddordebau	Rygbi a roc a rôl
offeryn	Dryms
gwaith blaenorol	Ffatri boteli yn Nhrefforest

Yoland Williams

Teg Morris

man geni	Ysbyty Dewi Sant, Bangor
ysgol gynradd	Penysarn, Sir Fôn
hoff fwyd	Unrhywbeth iachus
hoff gân	'Suspicious Minds'
yn ei edmygu fwyaf	Elvis Presley
gwyliau delfrydol	Fiji
hoff lyfr neu ffilm	Bywgraffiadau
diddordebau	Cadw'n heini
offeryn	Na
gwaith blaenorol	Ffermio, scaffoldio, a gyrru lorri

Nia Caron

Anita Richards

man geni	Tregaron
ysgol gynradd	Gartheli
hoff fwyd	Tatws newydd o'r ardd
hoff gân	'Strydoedd Cul Pontcanna' – Geraint Jarman
yn ei edmygu fwyaf	Dad
gwyliau delfrydol	Ar lan y môr yn rhywle tawel a chynnes
hoff lyfr neu ffilm	*Lord of the Rings* – y llyfr a'r ffilm
diddordebau	Y celfyddydau a garddio
offeryn	Piano
gwaith blaenorol	Crochenwaith

Debbie Moon

Rhian Harries

man geni	Ysbyty Glangwili, Caerfyrddin
ysgol gynradd	Drefach
hoff fwyd	Bwyd Sieiniaidd
hoff gân	'You're Free' gan Rosalla
yn ei edmygu fwyaf	Dad
gwyliau delfrydol	Safari yn Kenya
hoff lyfr neu ffilm	*It Could Happen To You* gan Molyn Nuttal
diddordebau	Darllen, cadw'n heini, a cherdded y ci
offeryn	Na, ond hoffwn i chwarae'r piano
gwaith blaenorol	Cyflwyno *Noc Noc*; drama William Jones i'r BBC; cyfres gomedi; *Glan Hafren* – cyfres ddrama HTV

Hywel Emrys

Derek Jones

man geni	Caerfyrddin
ysgol gynradd	Ysgol Pentrepoeth, Caerfyrddin
hoff fwyd	Bwyd dwyreiniol
hoff gân	'Where the Flame Turns Blue' – David Gray
yn ei edmygu fwyaf	John Lee Hooker a Gwynfor Evans
gwyliau delfrydol	Rio de Janeiro
hoff lyfr neu ffilm	*Lord of the Rings*, *Young Frankenstein*
diddordebau	Ffilmiau, darllen, a rygbi
offeryn	Na, yn anffodus
gwaith blaenorol	Dysgu, cyflwyno teledu a radio, dyn sbwriel, a ffitiwr carpedi

Emyr Wyn

Dai Sgaffalde

man geni	Caerfyrddin
ysgol gynradd	Y Tymbl a'r Hendy
hoff fwyd	Cyrri a phasta (popeth ond tripe)
hoff gân	'Padi' gan Emyr Huws Jones
yn ei edmygu fwyaf	Gandhi a Dewi Pws
gwyliau delfrydol	Pythefnos yn chwarae golff yng Ngorllewin Iwerddon, neu sgio yn yr Alpau Ffrengig
hoff lyfr neu ffilm	*Zulu*
diddordebau	Cefnogi tîm rygbi Llanelli a chwarae golff
offeryn	Piano a'r gitâr
gwaith blaenorol	Gormod i restru!

Nic McGaughey

Brandon Monk

man geni	Portsmouth
ysgol gynradd	Abertawe
hoff fwyd	*Fruit de la mer*
hoff gân	'Sweet Home Alabama'
yn ei edmygu fwyaf	Phillip Larkin
gwyliau delfrydol	Ffrainc
hoff lyfr neu ffilm	*Kes*
diddordebau	Darllen, a chwarae pitch and putt
offeryn	Dim byd
gwaith blaenorol	Cogydd, gweinydd, a garddwr

Paul Morgans

Dwayne Richards

man geni	Plymouth
ysgol gynradd	Felinfach
hoff fwyd	Cyrri Thai gwyrdd
yn ei edmygu fwyaf	Mam a Dad
gwyliau delfrydol	Thailand
hoff lyfr neu ffilm	Llyfrau Harry Potter
diddordebau	Sinema, bwyta allan
offeryn	Piano a trwmped
gwaith blaenorol	Gweinydd siop ddillad, actio yn *Mousetrap* yn y West End, ecstra

Sue Roderick

Cassie Morris

man geni	Bangor (a fy magu ym Mhorthmadog)
ysgol gynradd	Ysgol Eifion Wyn, Porthmadog
hoff fwyd	bwyd sbeislyd
hoff gân	'The Love Duet' o'r *Pearl Fishers* gan Bizet
yn ei edmygu fwyaf	Nelson Mandela
gwyliau delfrydol	Unrhyw le â 'chydig o haul – rwy'n hoff iawn o Sbaen ac Awstralia
hoff lyfr neu ffilm	*The Shining*
diddordebau	Coginio, darllen a theithio
offeryn	Piano a'r gitâr
gwaith blaenorol	Dim byd ond actio a chanu – trist, 'te!

Siw Hughes

Kath Jones

man geni	Ysbyty Dewi Sant, Bangor
ysgol gynradd	Llangefni
hoff fwyd	Lobscows Mam
hoff gân	'Mil Harddwch Wyt'
yn ei edmygu fwyaf	Darren Price (mecanic AA a ddaeth i adwy ar yr A470)
gwyliau delfrydol	Fiji
hoff lyfr neu ffilm	Ffilm – *The Piano* Llyfr – *Girl with a Pearl Earring* gan Tracy Chevalier
diddordebau	Darllen a siopa
offeryn	Piano

Lisa Victoria

Sheryl Hughes

man geni	Treherbert, Rhondda
ysgol gynradd	Ysgol *Gynradd* Ynyswen
hoff fwyd	Cinio dydd Sul
hoff gân	'Have I Told You Lately That I Love You' – Van Morrison
yn ei edmygu fwyaf	Siôn Corn!
gwyliau delfrydol	Rodeo Drive yn Beverley Hills, gyda lot fawr o arian i wario
hoff lyfr neu ffilm	Ffilm – *Miracle on 34th Street* Llyfr – *Little Women*
diddordebau	Cerdded y ci, coginio a siopa
offeryn	Y recorder – yn wael!
gwaith blaenorol	*ABC*, *Tair Chwaer* (cyfres 3 a'r ffilm), *Iechyd Da*, *Ar y Prom*, radio, panto, a Theatr Powys

Shelley Rees

Stacey Jones

man geni	Llwynypia
ysgol gynradd	Ysgol Treorci
hoff fwyd	Unrhywbeth Eidalaidd
hoff gân	'She's the One' – Robbie Williams
yn ei edmygu fwyaf	Robert de Niro
gwyliau delfrydol	Disney, Florida am wythnos, yna wythnos ar arfordir y Gwlff
hoff lyfr neu ffilm	Llyfr – *The True History of the Kelly Gang* Ffilm – *Moulin Rouge*
diddordebau	Dilyn clwb rygbi Pontypridd, darllen a'r sinema
offeryn	Na
gwaith blaenorol	Llawer o waith actio, a gweithio mewn bar

Gillian Elisa

Sabrina Daniels

man geni	Caerfyrddin
ysgol gynradd	Ffynnon Bedr, Llanbedr Pont Steffan
hoff fwyd	Cinio dydd Sul
hoff gân	'A Horse with No Name' gan America
yn ei edmygu fwyaf	Rheini sydd ddim yn eistedd yn aros i bethau ddigwydd, a phobol sy'n gwneud ymdrech
gwyliau delfrydol	Gyda fy nghariad, unrhywle yn y byd
hoff lyfr neu ffilm	Ar hyn o bryd, *Lord of the Rings*
diddordebau	Cerdded, bywgraffiadau, unrhywbeth i'w wneud gydag anifeiliaid, coginio, siarad, a chyfathrebu
offeryn	Tamaid bach o'r gitâr a'r piano
gwaith blaenorol	Dysgu, a gwerthu persawr am bythefnos!

Catrin Arwel

Emma Francis

man geni	Ysbyty Glangwili
ysgol gynradd	Ysgol Gymraeg Rhydaman
hoff fwyd	Pasta
hoff gân	'Moondance' gan Van Morrison
yn ei edmygu fwyaf	Dad
gwyliau delfrydol	Hawaii
hoff lyfr neu ffilm	*Empire of the Sun*
diddordebau	Y gym, a chymdeithasu
offeryn	Piano, telyn, a ffidil
gwaith blaenorol	Siop trin gwallt, ysgrifenyddes

Gwyn Elfyn

Denzil Rees

man geni	Bangor
ysgol gynradd	Drefach, Llanelli
hoff fwyd	Cornflakes
hoff gân	'Y Cwm' – Huw Chiswell
yn ei edmygu fwyaf	Gwynfor Evans
gwyliau delfrydol	Seland Newydd adeg y *Super 12* neu'r *Three Nations*
hoff lyfr neu ffilm	*One Flew Over the Cuckoo's Nest*
diddordebau	Rygbi, ceir a'r capel
offeryn	Na
gwaith blaenorol	Ffermio, a gweithio mewn chwarel galch

Rhys ap William

Cai Rossiter

man geni	Ysbyty Treforus
ysgol gynradd	Cwmllynfell
hoff fwyd	Cinio dydd Sul
hoff gân	'Something' – The Beatles
yn ei edmygu fwyaf	Mam a Dad
gwyliau delfrydol	Yn yr haul
hoff lyfr neu ffilm	*The Waterboy*
diddordebau	Golff, cerddoriaeth a ffilmiau
offeryn	Na, canu
gwaith blaenorol	Garddio

Dewi Rhys Williams

Bleddyn Matthews

man geni	Caerfyrddin
ysgol gynradd	Ysgol Teilo Sant, Llandeilo
hoff fwyd	Bwyd Sieiniaidd
hoff gân	'Mae Rhywbeth Bach yn Poeni Pawb' gan Geraint Jarman
yn ei edmygu fwyaf	George Best, Eddie Izzard a Kevin Cline
gwyliau delfrydol	Rhywle twym
hoff lyfr neu ffilm	Gwaith Tom Sharpe, a'r ffilm *Some Like it Hot*
diddordebau	Chwarae sboncen
offeryn	Na
gwaith blaenorol	Lot o bethau, ond fy ffefryn oedd gweithio ar *Tair Chwaer*

30
Pobol y Cwm 30

CWIS Y CWM

1974

1. Ym mha wlad oedd Nerys Cadwaladr wedi bod yn byw am flynyddoedd?
2. Pwy oedd yn actio rhan Bet Harries?
3. Pa ran arall mae'r actores yn ei hactio yn y gyfres?
4. Pwy gafodd ei gorfodi i adael ei chartref?
5. Beth oedd enwau perchnogion y Deri Arms?

1975

6. Pwy wnaeth dorri i mewn i'r Post?
7. Roedd Sabrina yn dathlu ei phen-blwydd. Faint oedd ei hoed hi?
8. Beth oedd enw gwraig newydd Wayne Harries?
9. Mabwysiadodd Cliff a Megan fab. Beth oedd ei enw?
10. Cyrhaeddodd Colin a Dr Annest Griffith y pentre. Beth oedd enw eu mab?

1976

11. Beth oedd enw barmaid newydd y Deri?
12. Pwy oedd cariad newydd Sabrina?
13. Pwy fu farw mewn tân yn y Felin?
14. Penderfynodd Sabrina ei bod hi am fynd dramor i weithio. I pa wlad aeth hi?
15. Pa fath o fusnes agorodd Wayne?

1977

16. Pwy gafodd swydd fel athrawes yn Ysgol Gynradd Cwmderi?
17. Beth oedd enw mab y Parch T L Thomas?
18. Daeth Mrs Owen, mam Megan i'r pentre am y tro cynta. Pwy oedd yn actio'r rhan?
19. Dechreuodd Maggie Post ddiodde o afiechyd oedd i'w phlagio am flynyddoedd. Beth oedd yn bod arni?
20. Cyrhaeddodd cyn-wraig Meic Pierce. Beth oedd ei henw?

1978

21. Anfonwyd cerdyn Sant Ffolant at Maggie. Yn enw pwy?
22. Penderfynodd Reg ei fod am fynd i'r coleg. Pa goleg oedd o?
23. Daeth Sister MacGregor i Brynawelon. Pwy oedd yn ei hactio?
24. Pa gymeriad arall mae'r actores wedi ei hactio yn y gyfres?
25. Beth oedd enw'r ferch oedd yn gweithio gyda Meic yn y caffi?

1979

26. Pwy oedd darpar ŵr Sister MacGregor?
27. Ar ôl i Jac golli ei olwg mewn damwain daeth gweithiwr newydd i'r garej? Pwy oedd o?
28. Bu farw Cliff tra'r oedd Megan yn feichiog. Beth oedd enw eu plentyn?
29. Roedd cystadleuaeth ddawnsio go-go noddedig yn y Cwm. Pwy fu'n dawnsio am ddyddiau?
30. Pwy oedd perchennog newydd y Deri?

1980

31. Ym mhle cafodd Nansi Furlong swydd fel glanhawraig?
32. Roedd priodas yn y pentre, ond pwy oedd yn priodi?
33. Daeth sipsi o'r enw Pat Flynn i'r pentre gyda'i blant. Sean oedd enw'r mab, beth oedd enw'r ferch?
34. Sefydlodd Dewi Roderick a Beth Leyshon bapur bro yn yr ardal. Beth oedd ei enw?
35. Pwy gafodd gyfle i ganu ar y radio?

1981

36. Pwy oedd cariad newydd Reg?
37. Pwy ddechreuodd ledaenu straeon am y cwpwl newydd?
38. Beth oedd enw prifathrawes newydd Cwmderi?
39. Pwy oedd yn actio'r rhan?
40. Darganfu Harri Parri fod gan T L Thomas dalent gudd ym myd chwaraeon. Ym mha gamp oedd o'n disgleirio?

1982

41. Daeth Doreen Probert yn fetron newydd Brynawelon. Beth oedd enw ei gŵr?
42. Roedd gan Beti a Colin Griffith was newydd ar y fferm. Pwy oedd o?
43. Wrth i Sabrina fynd gyda Jac i'r Almaen, pwy gafodd hen swydd Sabrina yn y siop?
44. Daeth athrawes newydd o'r enw Ann Rhys i'r ysgol. Pwy oedd yn ei hactio?
45. Gadawodd Agnes Spottelli y cwm. Pwy gafodd ei hen swydd hi yn y caffi?

1983

46. Ganwyd mab i Jac a Sabrina. Beth oedd ei enw?
47. Daeth plismon newydd i'r pentre. Pwy oedd o?
48. Pwy aeth yn gaeth i gamblo?
49. Wrth i Nerys, Dewi, Reg a Megan agor bragdy, pwy gafodd y gwaith o fragu'r cwrw?
50. Roedd gan Edgar Sutton bartner canu newydd. Pwy oedd hi?

1984

51. Gadawodd Jac a Sabrina'r cwm. I ble'r aethon nhw i fyw?
52. Pwy oedd perchnogion newydd fferm Llwynderi Fawr?
53. Pwy oedd eu gwas?
54. Roedd merch newydd yn y pentre a'n fuan iawn roedd Dic Deryn a hithau'n gariadon. Pwy oedd hi?
55. Penderfynodd y Parch Alun Morris ei fod am adael y pentre oherwydd nad oedd aelodau Bethania'n hapus ei fod yn cyd-fyw gydag Ann Rhys. Pwy oedd yn actio'r gweinidog ifanc?

1985

56. Beth oedd enw'r athro newydd yn yr Ysgol Gynradd?
57. Pa fath o fusnes ddechreuodd Edgar Sutton, Meic Pierce a Kevin Probert?
58. Ym mhle cafodd Carol Gwyther swydd?
59. Pwy gafodd ei anafu'n ddifrifol mewn damwain *hit and run*?
60. Pwy oedd yn gyrru'r car?

1986

61. Wrth i briodas Stan a Sylvia Bevan chwalu roedd Sylvia'n cael affair. Gyda pwy?
62. Daeth brawd Sylvia'n ddoctor i'r pentre. Beth oedd ei enw?
63. Gadawodd Dic Deryn. Ond i ble'r aeth o i weithio?
64. Priododd Gladys Lake ac Ifor Seymour. Drws nesa i ble'r aethon nhw i fyw?
65. Pwy gafodd ei dal yn dwyn mewn archfarchnad?

1987

66. Pwy fu farw'n annisgwyl?
67. Pwy roddodd wybod i Dic Deryn fod Carol a Gareth Protheroe'n gariadon?
68. Dychwelodd Dic a dechrau busnes newydd. Beth oedd y busnes?
69. Pa wyneb newydd i'r ardal oedd yn anhapus gyda chynlluniau busnes Dic?
70. Pwy gafodd ysgariad yn y flwyddyn hon?

1988

71. Bu farw J W Bowen ar ddiwrnod geni ei ferch. Beth oedd ei henw hi?
72. Aeth Gareth Wyn i ysgol breifat. Beth oedd enw'r ysgol?
73. Pwy oedd perchnogion cartre henoed Angorfa?
74. Roedd Barry John yn dwyn cyffuriau o Frynawelon i Kirstie McGurk. I bwy roedd Kirstie'n gwerthu'r cyffuriau wedyn?
75. Wrth i Nansi Furlong adael y cwm, pwy gafodd ei chyflogi fel ysgrifenyddes newydd Dic a Stan?

1989

76. Roedd Reg yn amau fod Megan yn cael affair. Gyda pwy?
77. Roedd doctor newydd yn y cwm. Beth oedd ei enw?
78. Sefydlodd Dic, Carol a Stan gwmni adeiladu newydd o'r enw GBA Construction. Pwy oedd eu hysgrifenyddes?
79. O'r diwedd sylweddolodd Derek pwy oedd ei dad. Beth oedd enw gwraig ei dad?
80. Gyda phentre ym mha wlad y gwnaeth Cwmderi efeillio?

1990

81. Daeth Jane Leonard i aros yn y Deri. Pwy oedd hi?
82. Pwy oedd yr unig un i gael ei anafu yn y ffrwydriad yng nghlwb golff Breeze Hill?
83. Pwy gyhoeddodd ei bod hi'n feichiog ar ddiwrnod Nadolig?
84. Pwy achubodd Derek o'r tân yn Angorfa?
85. Pwy wnaeth ddyweddïo yn y flwyddyn hon?

1991

86. Pwy ddaeth i ofalu am y Plas wedi i Trystan Bowen adael?
87. Cyrhaeddodd Gina, chwaer Eileen. Beth oedd ei henw iawn hi?
88. Pam bu'n rhaid i Mrs Mac a Glan briodi?
89. Pwy gafodd hen swydd Glyn James yng Nghwmderi?
90. Roedd gan Angorfa berchennog newydd. Pwy oedd o?

1992

91. Wrth i Tush a Maggie ymddeol, pwy brynodd y siop?
92. Pwy oedd cariad newydd Gina?
93. Gadawodd Barry John am borfeydd brasach. I pa ddinas yng ngogledd Lloegr yr aeth o i fyw?
94. Gyda phwy y dyweddïodd Dora Gwyther?
95. Roedd llofruddiaeth yn y cwm. Pwy gafodd ei lladd?

1993

96. Ganwyd efeilliaid i Denzil ac Eileen. Beth oedd eu henwau?
97. Pwy fu'n rhaid dewis rhwng ei gŵr neu ei thŷ?
98. Wedi i'w pherthynas hi a Hywel chwalu, penderfynodd Beth fynd i fyw at ei rhieni. Ble'r oeddan nhw'n byw?
99. Roedd Gina bellach mewn perthynas gyda Rod, ond gyda pwy gafodd hi one night stand?
100. Daeth y Joneses i'r cwm, ond pwy oedd y cynta i gyrraedd?

1994

101. Symudodd Denzil ac Eileen o'r Plas. Beth oedd enw eu fferm?
102. Gyda pwy y gadawodd Meira'r cwm?
103. Pwy oedd gwraig newydd Hywel Llywelyn?
104. Pwy gafodd fab fel anrheg Nadolig?
105. Pwy gafodd ei chyflogi fel rheolwraig salon gwallt Deri Dorri?

1995

106. Beth oedd enw cariad newydd Derek?
107. Daeth Dr Rachel Price yn feddyg teulu newydd Cwmderi. Pwy oedd ei chyn-gariad?
108. Dyweddïodd Karen a Sharon gyda'r un dyn. Pwy oedd o?
109. Cafodd Kath Jones swydd newydd. Fel beth?
110. Darganfuwyd fod Glan yn diodde o gancr, ond beth oedd o'n benderfynol o'i wneud cyn marw?

1996

111. Daeth Sarjant Gill Morgan yn heddwraig newydd Cwmderi. Beth oedd enw ei phartner?
112. Gadawodd Eileen Denzil. Gyda pwy oedd hi'n cael affair?
113. Daeth merch Llew a'i chariad i Gwmderi. Beth oedd eu henwau?
114. Pwy oedd perchennog newydd Caffi'r Cwm?
115. Pwy ddechreuodd gael affair gyda Ieuan Griffiths ar ôl iddi ddychwelyd i'r pentre?

1997

116. Pwy ddaeth i chwilio am ei fam?
117. Pwy oedd yn mynd i briodi Mark?
118. Pwy geisiodd ladd ei hun oherwydd pwysa arholiada?
119. Beth oedd enw'r doctor newydd ddaeth i weithio gyda Rachel?
120. Pwy rannodd gusan enwog?

1998

121. Yn sgil gwahoddiad gan Cassie, daeth rhieni maeth Steffan i'r pentre. Beth oedd eu henwau?
122. Datblygodd Meinir grysh ar un o ddynion y cwm. Ar bwy?
123. Ceisiodd Steffan ddod rhwng ei gyn-wraig a'i chariad newydd. Beth oedd enw ei gyn-wraig?
124. Cafodd Lisa ei threisio. Gan bwy?
125. Pwy wnaeth ailgysegru eu priodas?

1999

126. Priododd Reg a Diane eleni. Ond gyda pwy y cysgodd Diane y noson cyn y briodas?
127. Dychwelodd Emma i'r cwm. Ble'r oedd hi wedi bod?
128. Pwy enillodd y loteri?
129. Roedd Hywel yn gweld dwy chwaer. Beth oedd eu henwau?
130. Pwy ddychwelodd i ddathlu'r mileniwm yng Nghwmderi?

2000

131. Roedd Paul a Jordan Hill eisoes wedi ymgartrefu yn y cwm. Beth oedd enw eu chwaer?
132. Er mawr sioc i Doreen, pwy brynodd siâr yn y Plas?
133. Roedd Lowri'n feichiog a Darren yn mynd i'w phriodi, ond pwy oedd tad y babi?
134. Pwy oedd cariad newydd Mark?
135. Gyda pwy y gadawodd Emma Hannah pan ddaeth byw yng Nghwmderi yn ormod o straen arni?

2001

136. Wrth i Kath fynd i Sbaen at Mark, pwy fu'n rhedeg y Deri?
137. Bu farw Llew wrth i dacsi ddisgyn i'r afon, ond pwy oedd gydag ef yn y tacsi y noson honno?
138. Pwy oedd yn gyfrifol am chwalu priodas Darren a Lowri?
139. Cafodd Delme, tad Lowri, ei ryddhau o'r carchar am lofruddio ei wraig. Gyda pwy roedd ei wraig wedi bod yn cael affair?
140. Pwy priododd Stacey?

2002

141. I ble'r aeth Kath, Diane a Julie i ddathlu penblwydd Diane yn 50?
142. Pwy gafodd swydd yn Ysgol y Mynach?
143. Pwy adawodd ar ddiwrnod Nadolig?
144. Cafodd dau fabi eu geni yn y cwm eleni. Pwy ydyn nhw?
145. Roedd tri yn gweithio yn y fferyllfa gyda'i gilydd. Geraint Stevens oedd un; pwy oedd y lleill?

2003

146. Pwy briododd ar Nos Galan?
147. Bu farw Dr Gwen. Beth oedd enw ei rhieni?
148. Daeth Kelly i fyw i'r Deri. Beth oedd enw ei mam?
149. Wrth i Steffan gipio Hannah roedd rhywun arall dan amheuaeth i ddechrau. Pwy a pham?
150. Treuliodd Stacey fisoedd yn yr ysbyty a daeth yn ffrindiau gydag un o aelodau'r staff. Beth oedd ei henw hi?

2004

151. Roedd Steffan yn gorfod cael gweithwraig gymdeithasol i arolygu ymweliadau Hannah ag ef. Beth oedd ei henw hi?
152. Pwy aeth ar y daith i Ros na Run?
153. A phwy ddilynodd nhw yno?
154. Pwy ddaeth i roi syrpreis i Denzil yn ei barti pen-blwydd?
155. Pa deulu ddaeth at ei gilydd am un tro ola?

ATEBION

1974

1. Canada
2. Buddug Williams
3. Anti Marian
4. Bella Davies
5. Cliff a Megan James

1975

6. Meic Pierce
7. 18
8. Cadi
9. Gareth Wyn
10. Iolo

1976

11. Gladys Lake
12. Jac Daniels
13. Cadi Harries
14. Sbaen
15. Garej

1977

16. Beth Leyshon
17. Eifion
18. Nesta Harries
19. Gout
20. Nansi Furlong

1978

21. David Tushingham
22. Coleg Ruskin, Rhydychen
23. Iris Jones
24. Beryl Tushingham
25. Agnes Spotelli

1979

26. Harri Parri
27. Edgar Sutton
28. Rhian Haf
29. Sabrina
30. Nerys Cadwaladr

1980

31. Brynawelon
32. Jac a Sabrina
33. Nuala
34. Cwm Ni
35. Edgar Sutton

1981

36. Megan
37. Maggie Post
38. Beti Griffith
39. Margaret Williams
40. Dartiau

1982

41. Kevin
42. Dic Deryn
43. Nuala Flynn
44. Nia Ceidiog
45. Sandra Gwyther

1983

46. Robert Dilwyn
47. Glyn James
48. Gladys Lake
49. Ifor Seymour
50. Nansi Furlong

1984

51. Bryste
52. Stan a Sylvia Bevan
53. Denzil Rees
54. Carol Gwyther
55. Dorien Thomas

1985

56. J W Bowen
57. Kissograms
58. Yn y Post
59. Gareth Wyn
60. Stan Bevan

1986

61. Wayne Harries
62. Dr Gareth Protheroe
63. Ynysoedd y Falklands
64. Caffi Meic
65. Mrs Owen

1987

66. Wayne Harries
67. Doreen Probert
68. Cwmni Sgipiau
69. Jean McGurk
70. Stan a Sylvia Bevan

1988

71. Gwenllian
72. Coleg Caeron
73. Ken a Linda Coslett
74. Derek Jones
75. Meira

1989

76. Arwel Pritchard
77. Dr Gwyn Prosser
78. Lisa Morgan
79. Dora Gwyther
80. Llydaw

1990

81. Mam naturiol Gareth Wyn
82. Barry John
83. Lisa Morgan
84. Denzil Rees
85. Denzil ac Eileen

1991

86. Norman Foulkes-Roberts
87. Gwendolen
88. I rwystro Glan rhag tystio yn erbyn Mrs Mac yn y llys
89. Rod Philips
90. Rhydian Samuel

1992

91. Olwen Parry
92. Sean McGurk
93. Newcastle
94. Tal Jenkins
95. Sian, gwraig Clem Watkins

1993

96. John a Sioned
97. Megan
98. Y Drenewydd
99. Llew Mathews
100. Mark

1994

101. Penrhewl
102. Eddie Lewis
103. Stacey Jones
104. Glan a Mrs Mac
105. Sharon Burgess

1995

106. Menna Evans
107. Hywel Llywelyn
108. Tony Morgan
109. Postmon
110. Gweld Daniel yn dathlu ei ben-blwydd cynta

1996

111. Brian
112. Jon Markham
113. Nia a Gavin
114. Fiona Metcalfe
115. Lisa Morgan

1997

116. Steffan Humphries
117. Meinir Powell
118. Rhian Haf
119. Dr Geraint Stevens
120. Lisa a Fiona

1998

121. Huw ac Eleri
122. Teg
123. Mared
124. Kevin Shaw
125. Dyff a Kath

1999

126. Graham, ei gŵr cynta
127. Amsterdam
128. Dyff
129. Bethan ac Angie
130. Sabrina

2000

131. Michelle
132. Ieuan Griffiths
133. Jason Francis
134. Cilla Lloyd
135. Reg

2001

136. Diane
137. Bleddyn, Steffan a Hannah
138. Sheryl
139. Dai Sgaffalde
140. Dave Marshall

2002

141. Porthcawl
142. Cai Rossiter
143. Cilla
144. Chester Peris a Wil
145. Stella Coslett a Diane Francis

2003

146. Jason a Sara
147. Ray a Ruth
148. Amanda
149. Macs, oherwydd ei fod wedi cusanu Emma
150. Manon

2004

151. Mali Rees
152. Siôn, Macs, Dai a Sabrina
153. Cai ac Emma
154. Sioned
155. Jac, Sabrina a Robert Dilwyn

Pobol y Cwm 30

Am restr gyflawn o lyfrau'r wasg,
mynnwch gopi o'n Catalog newydd, rhad
– neu hwyliwch i mewn i'n gwefan

www.ylolfa.com

i chwilio ac archebu ar-lein.

TALYBONT CEREDIGION CYMRU SY24 5AP
e-bost ylolfa@ylolfa.com
gwefan www.ylolfa.com
ffôn (01970) 832 304
ffacs 832 782